Shelly Fan

Macht Künstliche Intelligenz uns überflüssig ?

Große Fragen des 21. Jahrhunderts

Über 160 Abbildungen

Herausgeber:
Matthew Taylor

Inhalt

Einleitung

A

Künstliche Intelligenz (KI): Was fällt Ihnen dazu als Erstes ein? Killermaschinen, die die Welt beherrschen wollen und die Zukunft der Menschheit bedrohen? Oder eine amorphe, aber wohlwollende Kraft, die unsere Gesellschaft unbemerkt weiterentwickelt?

KI ist die menschlichste aller Technologien. An ihrem Anfang stand die Idee, eine menschenähnliche Maschine zu erschaffen. Sie entwickelte sich, indem sie menschliche Denkprozesse kopierte und von der Funktionsweise des menschlichen Gehirns lernte. Heute fürchten viele, dass KI den Menschen an Intelligenz übertreffen könnte.

Die KI hat sich in den letzten 60 Jahren weit entwickelt. Früher war alles nur Science-Fiction, heute steckt KI in vielen Alltagsgeräten und gibt uns persönliche Empfehlungen: Netflix und Amazon beruhen auf selbstlernender Software und erkennen unsere Vorlieben, Wünsche und Bedürfnisse. KI sieht uns auch online: Das Bilderkennungssystem von Facebook erkennt Gesichter automatisch auf hochgeladenen Bildern, egal, wie ungünstig diese aufgenommen wurden. Computergestützte Planung ermöglicht den Aufbau immer größerer Videospielwelten und trägt zum enormen Wachstum dieser Branche bei. Dank natürlicher Sprachverarbeitung – hier lernen Maschinen, mit Sprache statt mit Code zu kommunizieren – versteht Google auch falsch getippte Suchbegriffe und liefert relevante Ergebnisse.

Intelligente Geräte sind überall. Alexa und Google Home sitzen still zu Hause und warten auf Anweisungen. Es gibt bereits KI-gesteuerte Autos, und selbstfahrende Fahrzeuge werden das Transport- und Logistikwesen grundlegend verändern. Automatisierte Trading-Algorithmen verändern den Finanzhandel, denn Aktien werden mit einer Geschwindigkeit gekauft und verkauft, die für einen Broker undenkbar ist. KI ist heute so weit verbreitet, dass wir die automatisierten Systeme gar nicht als KI wahrnehmen. Intelligenz ist auch nicht klar definierbar, denn sobald Maschinen eine Aufgabe erledigen, die zuvor nur Menschen ausführen konnten, gilt dies nicht mehr als Zeichen von Intelligenz. Der US-amerikanische KI-Forscher Patrick Winston meint, die KI gewinne immer stärker an Bedeutung, je unauffälliger sie werde. Und laut dem US-amerikanischen Informatiker Larry Tesler ist KI einfach alles, was bisher noch nie gemacht wurde.

A   IllumiRoom von Microsoft, eine erstaunliche Technik für erweiterte Realität, kann mit einem Kinect-Sensor und einem Projektor virtuelle Szenen auf einem Fernseher mit der realen Welt eines Wohnzimmers kombinieren.

B   Um auf stark befahrenen Straßen sicher zu steuern, sammeln selbstfahrende Autos Daten über verschiedene Sensoren und verarbeiten diese mithilfe ausgeklügelter Algorithmen, die jedes Objekt und dessen Position auf der Straße kategorisieren können.

Alexa ist Amazons virtuelle Assistentin, die mit menschlicher Stimme mit den Nutzern kommuniziert. Alexa wird in Geräte integriert, die Musik abspielen oder intelligente Haushaltsgeräte steuern, also z. B. Lampen dimmen oder die Zimmertemperatur regeln.

Doch hinter dieser digitalen Utopie steckt eine düstere Wahrheit: Wie jede Technologie kann auch KI missbraucht werden.

Ein abschreckendes Beispiel ist die Rolle von KI bei der Beeinflussung der US-Präsidentschaftswahl von 2016, bei der mit KI-gesteuerten Technologien einzelne Wähler (angeblich) gezielt beeinflusst wurden. Mit persönlichen Daten von über 87 Mio. Facebook-Nutzern startete das Datenanalyseunternehmen Cambridge Analytica eine riesige Kampagne, die auf unentschlossene Wähler abzielte. Ihnen wurden mithilfe von KI-Werkzeugen genau die Nachrichten angezeigt, für die sie empfänglich waren. Auf ähnliche Weise überschwemmten Bots vor den Wahlen in Großbritannien 2017 verschiedene Social-Media-Plattformen, verbreiteten Falschinformationen und störten den normalen Ablauf der Demokratie. Dies wiederholte sich bei Wahlen in Frankreich und anderen Ländern.

A

Die britische Politikbe-
ratungsfirma **Cambridge
Analytica** nutzte Daten-
sammlungen und -analysen
für politische Kampagnen. Zu
ihren Kunden zählten Donald
Trump und die britische
Leave.EU-Kampagne. Das
Unternehmen meldete am
1. Mai 2018 Insolvenz an.

Ein **Bot** ist ein Computerprogramm, das automa-
tisierte Aufgaben erledigt,
die in der Regel struktu-
riert und wiederkehrend
sind. Bots können über
Social-Media-Plattformen
mithilfe einfacher Konversa-
tion auch mit Internetnutzern
interagieren.

Als **Fake News** werden
heute erfundene Geschichten
bezeichnet – eine Art von
Propaganda, die Fehl-
informationen, Verschwö-
rungstheorien oder andere
unwahre Geschichten über
soziale Medien und tradi-
tionelle Medien verbreitet.
Fake News sind häufig
Sensationsnachrichten und
werden für politische Zwecke
missbraucht.

Baidu ist die beherrschende
Internetsuchmaschine in
China. Sie bietet ähnliche
Produkte und Dienste an wie
Google.

Duplex heißt der Teil von
Googles digitalem Assistenten, der komplexe Sätze und
schnelle Sprechweise ver-
steht. Er spricht mit natürlich
klingender Stimme und nicht
mit einer Computerstimme.

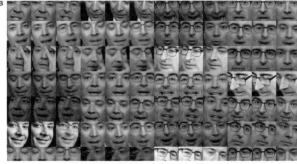

A Mark Zuckerberg
sagt 2018 als Zeuge
zum Cambridge-
Analytica-Skandal
aus. Der Prozess
warf Fragen zur
Verantwortung der
Social-Media-Branche
für ihre Nutzerdaten
auf.

B/C Liegt ausreichend Bild-
material eines Gesichts
vor, kann Deepfake jedes
Gesicht verändern und
realistisch auf einen
anderen Körper setzen.
Der Algorithmus ist
prädestiniert für Miss-
brauch. Mit ihm lassen
sich Propaganda und

Verschwörungs-
theorien verbreiten
und so Wahrheit
und Realität noch
stärker verwischen.
Trumps Gesicht ist
in verschiedenen
manipulierten
Videos zu sehen.

Die Sorge über **Fake News**, Datenschutz und
Datensicherheit bleibt: Je ausgeklügelter KI-
Systeme werden, desto stärker wird sich der
Missbrauch ausweiten, wenn er ungebremst und
ungeregelt bleibt. Anfang 2018 kündigte der chinesische KI-Riese **Baidu** ein KI-System an, das
mit einer Sprachprobe von nur einer Minute jede
Stimme nachahmen kann. Beliebige Worte könnten
so mit jeder beliebigen Stimme unterlegt werden.
Eine Open-Source-Technologie für Deepfakes,
die das Gesicht einer Person realistisch auf einen
anderen Körper montiert, führte zu Razzien, als
damit falsche Pornofilme mit Gesichtern berühmter
Schauspielerinnen erstellt wurden. Mitte 2018 kam
Google **Duplex** auf den Markt, das auf erschreckende Weise »Mmhs« und Pausen so einsetzt,
dass es sich wie eine menschliche Stimme am
Telefon anhört. Diese Beispiele sind nur die Spitze
des Eisbergs: Wird KI heimlich entwickelt und
perfekt eingesetzt, kommt ein Missbrauch vielleicht
erst Jahre später ans Licht – wenn überhaupt.

A

Auch wenn es äußerst schwierig ist, kann diesen bekannten Gefahren durchaus begegnet werden. Problembewusstsein ist der erste Schritt zu einer Lösung, ob diese nun in einer Aufsichtsbehörde oder in Bestimmungen zur Selbstregulierung der KI-Forscher in einem offenen, transparenten Umfeld liegt.

> Mehr Sorgen machen die Probleme, die wir nicht genau vorhersagen können, weil sie mit der Entwicklung Künstlicher Intelligenz an sich zusammenhängen, die ja in bestimmten Bereichen bereits menschliche Fähigkeiten überschreitet.

Vielleicht haben Sie bereits etwas darüber gelesen. 2011 versetzte der Supercomputer Watson von IBM die Branche in Erstaunen, als er in der Sendung *Jeopardy!* gegen Ken Jennings und Brad Rutter, zwei der besten Sieger dieser Quizsendung, gewann. AlphaGo von DeepMind war das erste Computerprogramm, das einen Weltmeister in dem alten Brettspiel Go besiegte. Von dem komplizierten Spiel hatte man lange geglaubt, dass es mit Brute-Force-Methoden nicht zu beherrschen sei. Das Unternehmen überraschte die menschlichen Spieler aber mit einem autodidaktischen System, das neue Strategien für das Spiel erlernen konnte.

Die Anwendungen von KI beschränken sich nicht auf Spiele. KI-Systeme übertreffen bereits routinemäßig Radiologen bei der Krebsdiagnose und andere Mediziner bei der Diagnose verschiedenster Herzerkrankungen, Lungenentzündung und weiterer Erkrankungen. Beim autonomen Fahren gab es zwar eine Handvoll spektakulärer (auch tödlicher) Unfälle, dennoch sind diese Fahrzeuge in der Regel extrem sicher. Die Erfolge werfen einige Fragen auf: Wenn KI die Aufgabe von Fahrern, Ärzten und eine zunehmende Anzahl an Jobs übernehmen kann, was wird aus uns Menschen? Erleben wir gerade den Beginn einer von KI dominierten Welt, in der Menschen nicht mehr gebraucht werden?

Der Supercomputer **Watson** setzt KI bei unterschiedlichen Anwendungen ein, u. a. im Bereich Medizin, Pannenhilfe und Bildung.

DeepMind, einer der Marktführer im Bereich der KI-Anwendungen, entwickelte 2016 das leistungsstarke KI-System AlphaGo, das den amtierenden Go-Weltmeister Lee Sedol besiegte.

Brute-Force-Methoden suchen systematisch nach möglichen Lösungen für ein Problem. Sie prüfen jede einzelne Möglichkeit, bevor ein Ergebnis ausgegeben wird.

A AlphaGos Sieg über den 18-fachen Weltmeister Lee Sedol zeigte die Stärken des Deep Learning. Die KI analysierte Tausende von Spielzügen, um eine Art »Intuition« für gewinnversprechende Positionen aufzubauen.
B Ein Kieferknochen wird mittels Computertomografie (CT) rekonstruiert. Mit Methoden, die automatisch Bilder in 3-D erzeugen, können Mediziner die Daten visualisieren und so Krankheiten besser diagnostizieren und überwachen.
C CT-Scans eines weiblichen Körpers mit der Software OsiriX, die farbige 3-D-Rekonstruktionen des Körpers in mehreren Abbildungstiefen erzeugt. Chirurgen können in den Daten navigieren, indem sie durch diese Animationen »hindurchfliegen«.

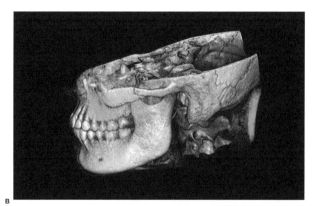

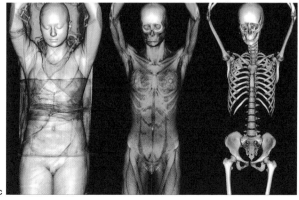

Der Gedanke an eine »technologische Singularität« löste eine ernsthafte Debatte aus. Abgesehen von Hollywood-Geschichten über »Killer-Roboter« warnen viele bekannte Theoretiker davor, dass KI dem Menschen überlegen sein und ihn folglich bedrohen wird. Elon Musk (*1971), US-amerikanischer Unternehmer und Gründer von Tesla und SpaceX, nannte KI die größte Bedrohung der Menschheit und warnte davor, mit ihrer Entwicklung den Teufel heraufzubeschwören. Der verstorbene britische Physiker Stephen Hawking (1942–2018) hielt KI für die schlimmste Entwicklung in der Geschichte der Zivilisation, und der britische Erfinder Clive Sinclair (*1940) glaubt, dass Maschinen, die an unsere menschliche Intelligenz heranreichen oder sie gar übersteigen, unser Untergang sein werden.

Nicht alle Fachleute sehen das so. Facebook-Gründer Mark Zuckerberg (*1984) glaubt, dass Menschen KI kontrollieren können, indem sie sie so gestalten, dass sie menschliche Fähigkeiten erweitert. 2015 bewertete die sogenannte One Hundred Year Study on Artificial Intelligence der Stanford University die Auswirkungen von KI auf die Gesellschaft und kam zu dem Schluss, dass KI keine unmittelbare Gefahr für die Menschheit darstelle. KI sei zwar sehr weit entwickelt, so die Studie, aber gleichzeitig sei jede Anwendung exakt auf eine bestimmte Aufgabe zugeschnitten. Kein Wissenschaftler auf dem Gebiet

A Der humanoide Roboter Sophia wird hier auf der RISE Technology Conference 2018 in Hongkong präsentiert. Sophia ist ein maschinell sehendes System, das menschliche Gesichtsausdrücke und Gesten nachahmen kann.

B/C Piloten geben vor dem Flug die Flugroutendaten in Autopilotsysteme ein. Autopiloten steuern das Flugzeug nicht am Boden, sie werden aber in Verkehrsmaschinen verwendet, sobald sie in der Luft sind. Selbstfliegende Konzept-Flugzeuge von Boeing sind ein Beispiel für eine autonome Luftfahrt, die ohne menschlichen Eingriff funktionieren soll.

A

B

C

habe bisher versucht, eine maschinelle Intelligenz zu entwickeln, die so flexibel und unmittelbar lerne wie der Mensch. Diese Expertengruppe behauptet, dass wir von der technologischen Singularität noch 1000 Jahre entfernt sind – so sie überhaupt kommt. Und selbst wenn KI das Niveau menschlicher Intelligenz erreicht oder übertrifft, könnte die Menschheit in ein neues Zeitalter eintreten, in dem Mensch und KI durch Zusammenarbeit wachsen.

Wird KI uns ersetzen? Um das zu beantworten, müssen wir zuerst verstehen, was KI ist, wie sie entstand und wie sie derzeit das Leben und die Gesellschaft verändert. Zudem müssen wir die heutigen Grenzen und Probleme mit KI-Systemen kennenlernen. Erst dann können wir nach vorne schauen und uns fragen:

Heißt es in Zukunft Mensch gegen KI oder Mensch plus KI?

Die Theorie der **technologischen Singularität** besagt, dass künstliche allgemeine Intelligenz, die mit menschlicher Intelligenz vergleichbar ist oder sie übersteigt, plötzliche technische Fortschritte mit unbekannten Folgen für die Menschheit auslösen kann.

Das US-amerikanische Unternehmen **Tesla** baut E-Autos und spezialisiert sich auf autonomes Fahren und erneuerbare Energien.

Das private US-amerikanische Raumfahrtunternehmen **SpaceX** (Space Exploration Technologies Corp.) entwickelt wiederverwendbare Raketen und Raumfahrzeuge.

One Hundred Year Study on Artificial Intelligence (auch AI100 genannt) ist eine Studie, die 2016 von der Stanford University veröffentlicht wurde. Sie will die Auswirkungen von KI auf die Gesellschaft im Lauf der kommenden 100 Jahre untersuchen und vorhersagen.

1. Die Entwicklung von KI

A

Unter der Leitung des US-amerikanischen Mathematikprofessors John McCarthy (1927–2011) trafen sich im Sommer 1956 zehn Wissenschaftler am Dartmouth College in New Hampshire (USA) zu einem sechs Wochen langen Austausch über Maschinenintelligenz. Sie wollten in erster Linie untersuchen, wie Maschinen menschliche Intelligenz, also die Fähigkeit zu fühlen, zu urteilen, zu entscheiden und die Zukunft vorauszusehen, simulieren könnten. Der zentrale Gedanke dabei war, menschliches Denken und Handeln mithilfe der Mathematik zu beschreiben. Erinnerungen, Ideen und logisches Denken sollten als Algorithmen formuliert werden, etwa so, wie die Regeln der Schwerkraft prägnant als Gleichung dargestellt werden können.

Die Mitglieder der Gruppe hatten große Träume und einen noch größeren Optimismus, wie die Beschreibung des Forschungsvorhabens für die Rockefeller Foundation zeigte, die den Workshop finanzierte. Darin hieß es, die Studie gehe von der Annahme aus, dass grundsätzlich alle Aspekte des Lernens und anderer Merkmale der Intelligenz so genau beschrieben werden könnten, dass man eine Maschine so weit bringen könne, diese Vorgänge zu simulieren. Der Workshop in Dartmouth wird heute allgemein als die Geburtsstunde der KI angesehen. Hier wurde das Grundgerüst für die KI-Forschung gelegt. Viele Mitglieder dieser engagierten Gruppe, zu der unter anderem Marvin Minsky, Claude Shannon und Nathaniel Rochester gehörten, leiteten später zentrale Forschungsfelder in Sachen KI, die noch heute fortgeführt werden.

Bereits im 4. Jh. v.Chr. wollte der Philosoph Aristoteles Wissen logisch darstellen und erdachte eine Form der logischen Deduktion, den **Syllogismus**. Die Verwendung von Prämissen, aus denen am Ende eine Schlussfolgerung – häufig eine neue Erkenntnis – gezogen wird, ist vergleichbar mit dem Lösen einer mathematischen Gleichung, da es sich bei beiden um klar definierte, schrittweise Prozesse handelt.

Algorithmus bezeichnet in der Informatik eine eindeutige Folge von Anweisungen oder Regeln, die einen Prozess zur Durchführung von Berechnungen und sonstigen Problemlösungen definiert.

Der **Syllogismus** verwendet logische Deduktionen, um Schlüsse aus einem Katalog aus definierten Prämissen zu ziehen, die entweder richtig oder falsch sein können.

A ENIAC wurde 1946 für die US-Armee entwickelt und ist einer der ersten Universalcomputer. Über Drehschalter wurden Zahlentabellen für Berechnungen eingegeben.
B 1966 ließ John McCarthy das Kotok-McCarthy-Programm in vier Computerschachspielen gegen das russische ITEP-Programm antreten. Der Wettkampf dauerte neun Monate, und das ITEP-Programm gewann.

B

Der Syllogismus wurde zu einer zentralen Idee in der Informatik und KI.

Viele Jahrtausende lang bestand nur vereinzelt Interesse an Automaten, z. B. bei Druckmaschinen, beweglichen Objekten und Uhren als den ersten Messgeräten. Im 16. Jahrhundert fertigten Uhrmacher mithilfe von Zahnrädern lebensechte mechanische Tiere.

Bis zum 17. Jahrhundert tat sich jedoch in der Informatik und KI nichts Grundlegendes. Damals griffen Philosophen wie Thomas Hobbes (1588–1679) und René Descartes (1596–1650) den Gedanken auf, dass tierische Körper nichts anderes als komplexe Maschinen seien. In *Leviathan* (1651) spricht sich Hobbes bekanntlich für eine mechanische, kombinatorische Art des Denkens aus, ähnlich der Art, wie Maschinen verschiedene Module miteinander kombinieren, um mehr Funktionalität zu erzielen. Zu jener Zeit dachte der deutsche Universalgelehrte Gottfried Leibniz (1646–1716) darüber nach, dass der menschliche Verstand auf rein mechanische Berechnungen reduziert werden könnte. Leibniz war ein Befürworter der Binärsysteme und sagte voraus, dass ein System aus Nullen und Einsen besonders geeignet für Denkmaschinen sei. Da sich Binärzahlen ideal zur Darstellung von Systemen eignen, die nur zwei Zustände haben, z. B. »Ein« und »Aus«, können sie logische Operationen darstellen, indem »Ein« mit »Wahr« und »Aus« mit »Falsch« gleichgesetzt wird. Binärsysteme sind also naturgemäße Lösungen zur Darstellung von Logik mithilfe physischer Symbole.

 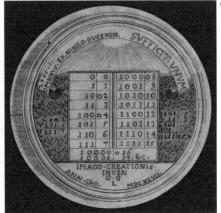

A

A Nach dem Studium des binären Zahlensystems gestaltete Leibniz eine Münze, die Gottes Schöpfung der Welt aus dem Nichts mit der Bildung beliebiger Zahlen aus Nullen und Einsen verglich.
B »An Essay Towards Solving a Problem in the Doctrine of Chances« (1763) von Thomas Bayes wurde posthum von der Royal Society in den *Philosophical Transactions* veröffentlicht. Der Satz von Bayes ist ein Meilenstein in der Erforschung des logischen Denkens und wird heute in der wissenschaftlichen Forschung häufig genutzt.

Im 18. Jahrhundert sprudelten die Ideen, die die theoretische Grundlage für die Informatik und denkende Maschinen erweiterten. Ein herausragendes Beispiel ist der britische Mathematiker Thomas Bayes (1702–1761), der eine neuartige Formel über die Wahrscheinlichkeit von Ereignissen aufstellte. Heute wird der Satz von Bayes erfolgreich beim maschinellen Lernen eingesetzt. Ähnlich wie andere Lernsysteme sagt der Satz den Erfolg künftiger Ereignisse auf der Grundlage von Erfahrungswerten und neuen Erkenntnissen voraus – ein wesentlicher Aspekt des Lernens.

Leviathan oder *Stoff, Form und Gewalt eines kirchlichen und staatlichen Gemeinwesens* ist eine staatstheoretische Schrift von Thomas Hobbes, die zunächst die menschliche Natur untersucht und dann folgert, dass der menschliche Geist materialistisch ohne die Notwendigkeit einer immateriellen Seele erklärt werden kann.

Binärzahlen werden in einem Zahlensystem mit der Basis 2 dargestellt. Es verwendet nur zwei Symbole: 0 und 1. Binärzahlen werden hauptsächlich in der Informatik und der digitalen Elektronik eingesetzt.

Der **Satz von Bayes** ist eine mathematische Methode, die die Eintrittswahrscheinlichkeit eines Ereignisses beschreibt. Er basiert auf den Wahrscheinlichkeiten von Voraussetzungen, die zum Ereignis führen können.

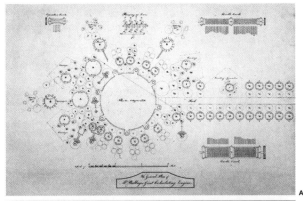

A Die analytische Maschine von Charles Babbage bestand aus übereinander angeordneten Zahnrädern, mit denen die vier Grundrechenarten ausgeführt werden konnten. Sie war mit Lochkarten ausgestattet, auf denen die Rechenergebnisse gespeichert wurden, und sie konnte auf Lochkarten basierende Programme lesen.

B Die Differenzmaschine Nr. 2 basierte auf den Originalzeichnungen zu Babbages analytischer Maschine und wurde erst 153 Jahre später funktionsfähig nachgebaut. Die Bauzeit dauerte zehn Jahre, und die Maschine wurde 2002 fertiggestellt. Sie bestand aus 8000 handgefertigten Teilen, wog fünf Tonnen und war 3,3 Meter breit.

Ein Jahrhundert nach Bayes erweiterte erneut ein britischer Mathematiker, George Boole (1815–1864), Aristoteles' Idee der Deduktion um ein mathematisches Verfahren. Wie Leibniz glaubte Boole, dass Gesetze das menschliche Denken bestimmen und dass sich diese Gesetze mit Mathematik beschreiben lassen. In seiner Schrift *The Laws of Thought* (1854) zeigte Boole auf, dass zur Lösung numerischer Gleichungen Schlussfolgerungen nötig sind und dass Logik mittels Algebra dargestellt werden kann. Als Begründer der Booleschen Logik, der Grundlage moderner digitaler Computerlogik, gilt Boole als einer der Väter der Informatik.

Im 19. Jahrhundert wurden auch die ersten programmierbaren Maschinen erfunden: 1804 erfand Joseph-Marie Jacquard (1752–1834) den Jacquard-Webstuhl, Charles Babbage (1791–1871) und Ada Lovelace (1815–1852) schufen das Konzept einer programmierbaren Rechenmaschine – die analytische Maschine –, die theoretisch jede arithmetische Rechnung ausführen konnte. Ein paar Jahre später veröffentlichte Lady Lovelace Befehlsfolgen für die analytische Maschine, mit denen sich Bernoulli-Zahlen automatisch berechnen ließen. Solche Befehlsfolgen werden heute als Algorithmen bezeichnet, und genau daraus bestehen Computerprogramme. Die analytische Maschine gilt daher als grundlegender Vorläufer der heutigen Computer.

Der wohl einflussreichste Vordenker auf dem Gebiet der frühen maschinellen Intelligenz ist der britische Mathematiker Alan Turing (1912–1954). In »On Computable Numbers, with an Application to the Entscheidungsproblem« (1936) stellte er ein einfaches Rechenmodell vor, das später als Turing-Maschine bezeichnet wurde. Zusammen mit dem US-amerikanischen Mathematiker Alonzo Church (1903–1995) begründete er die Church-Turing-These, die bewies, dass Turing-Maschinen theoretisch alles berechnen können, was auf einfachen Symbolen wie den Zahlen 0 und 1 beruht. Wenn sich das Denken auf mathematische Ableitungen reduzieren ließe, könnten Maschinen möglicherweise auch wie ein Mensch denken.

Boolesche Logik ist ein Zweig der Mathematik, der Symbole für »wahr« und »falsch« verwendet. Statt Addition, Subtraktion und anderen Rechenoperationen verwendet sie für ihre logischen Schlussfolgerungen Operatoren wie »und«, »oder« und »nicht«.

Bernoulli-Zahlen sind Zahlenfolgen, die in bestimmten mathematischen Zusammenhängen auftreten. Die Zahlen können mithilfe einer Formel errechnet werden, wobei die ersten fünf Zahlen 1, -1/2, 1/6, 0 und -1/30 sind.

Die **Turing-Maschine** ist das Modell einer Rechenmaschine, die jede vorstellbare Rechnung ausführt, solange sie als Algorithmus dargestellt werden kann.

Die Turing-Maschinen ließen denkende Maschinen möglich werden. Sie bildeten eine wichtige theoretische Grundlage für heutige Computer.

In den späten 1940er-Jahren veröffentlichte Turing während seiner Arbeit am National Physical Laboratory in London die erste detaillierte Beschreibung eines **speicherprogrammierbaren Rechners**. Doch sein entscheidendster Beitrag zur Künstlichen Intelligenz war der zukunftsweisende Aufsatz »Computing Machinery and Intelligence« (1950), in dem er die Frage aufwarf, ob Maschinen denken könnten, und anführte, dass zuerst die Frage selbst klar und eindeutig definiert werden müsse, bevor man versuchen könne, eine Antwort zu finden. Für Turing erforderten die Begriffe »Denken« und »Intelligenz« exakte Standards. Diese zukunftsweisende Betrachtung wird bis heute in der KI-Forschung intensiv diskutiert.

A

A Der Colossus-Rechner wurde im Zweiten Weltkrieg gebaut, um die vom deutschen Militär verwendeten Codes der Lorenz-Schlüsselmaschine zu entziffern. Mit seinen Schaltkreisen und über 1700 Elektronenröhren für Rechenoperationen wird er häufig als erster programmierbarer digitaler Computer bezeichnet.
B 1950 wurde der Pilot ACE, ein früher speicherprogrammierbarer Rechner, gebaut, der auf Alan Turings Entwurf eines größeren Computers basierte.

B

Turings Ansatz zur Definition von Intelligenz ist ein Gedankenexperiment, das als Turing-Test bekannt ist: Kann ein menschlicher Auswerter eine Maschine nicht von einem Menschen unterscheiden, während er sich mit beiden unterhält, kann die Maschine als intelligent betrachtet werden. Das Experiment geht nicht auf eher philosophische Fragen über das Wesen menschlicher Gedanken und des Verstandes ein, sondern konzentriert sich rein auf die Endergebnisse – das beobachtbare Verhalten.

Turings wesentlicher Beitrag war die Erforschung von Berechnungsmethoden zur Simulation menschlicher Intelligenz und der Versuch der Nachahmung des menschlichen Verstandes durch Algorithmen. Sprache ist dabei nur ein mögliches Medium für Experimente.

Der Turing-Test ist ein bedeutender und provokanter Beitrag in Sachen KI. Kein Programm hat diesen Test bisher überzeugend und unumstritten bestanden.

Speicherprogrammierbare Rechner sind Computer, die Anweisungen im eigenen Arbeitsspeicher speichern können. Heute sind alle Computer speicherprogrammierbare Rechner.

Auch alle anderen in dem Aufsatz von 1950 präsentierten Ideen sind noch heute relevant. Anstatt z. B. den Verstand eines Erwachsenen nachzubauen, wollte Turing eher den Verstand eines Kindes nachahmen und diesen dann schulen. Er sah auch neun Einwände gegen KI voraus, die von religiösen Fragen bis hin zu möglichen negativen Folgen von denkenden Maschinen und maschinellem Bewusstsein reichten. Seine Voraussicht ist bemerkenswert, denn sie umfasste alle wesentlichen Streitfragen, die sich bisher im Zuge der Entwicklung von KI ergaben.

A   B   C

Aus den Ideen Turings und anderer Vorreiter entstanden ab etwa 1950 die ersten elektronischen Rechner und Roboter, die eigenständig wahrnehmen und handeln konnten. Es wurde Zeit, die getrennten Arbeiten zu einem wissenschaftlichen Forschungsfeld zusammenzuführen, und so prägte McCarthy 1956 in Dartmouth den Begriff »Künstliche Intelligenz«.

A   John McCarthy war ein Forscher am Stanford Artificial Intelligence Laboratory (SAIL).
B   Zusammen mit seinen SAIL-Kollegen Bill Pitts und Ted Panofsky brachte Phil Petit das erste Videospiel, Spacewar, auf den Markt.
C   Der hydraulische Arm prüfte, ob ein Roboter mit dem Computer, der ihn steuerte, mithalten konnte.
D   Der Stanford-Rancho-Roboterarm war nach dem Vorbild einer Armprothese gebaut.
E   Der Rechner DEC PDP-10 mit Dualprozessorsystem stand in Stanford und wurde von allen SAIL-Mitgliedern genutzt.
F   Am SAIL entwickelte man leistungsstarke Roboterarme, so auch den schnellen Hydraulik-Arm.

Das Dartmouth-Team begann in jenem Sommer mit der Arbeit an denkenden Maschinen, ein Ziel, das damals in naher Zukunft zu liegen schien. So begann der erste Boom in der KI-Forschung, der von Mitte der 1950er-Jahre bis zur Mitte der 1970er-Jahre dauerte und in dem sich einige Forschungsschwerpunkte herauskristallisierten und Bekanntheit erlangten. KI-Pioniere mussten damals auch noch viel Zeit dafür aufwenden, kritische Behauptungen zu widerlegen, dass Maschinen unfähig seien, typisch menschliche Aufgaben auszuführen.

D   E   F

Dieser Ansatz führte zu einer Reihe von stark fokussierten Programmen, die nicht in realen Szenarien, sondern unter »**Toy Problem**«-Bedingungen ausgeführt wurden. Sie waren zwar stark begrenzt, aber sie dienten als Beweis dafür, dass Maschinen nicht nur auf numerische Berechnungen beschränkt sind. So erfanden KI-Forscher z. B. Programme, die Infinitesimalrechnungen oder Analogieschlüsse wie in IQ-Tests lösen konnten.

Für Laien waren die damaligen Programme erstaunlich, und die Forscher waren sehr optimistisch, dass in 20 Jahren intelligente Roboter gebaut werden könnten.

Toy Problems sind in der Informatik einfache, reduzierte Versionen von realen Aufgaben, anhand derer Wissenschaftler ihre KI-Algorithmen testen. Die Probleme haben zwar keine direkten Anwendungen, aber sie verdeutlichen Eigenschaften, die auch bei komplexeren und zweckmäßigeren Fällen des Problems vorkommen.

Obwohl ihr Umfang eingeschränkt war, dienten diese Programme doch als treibende Kraft für verschiedene neue Technologien. Ein früher Erfolg war der Logic Theorist, die erste Demonstration eines funktionierenden KI-Programms. Bei seiner Programmierung entwickelte das Team eine Prozedur – die heuristische Suche –, die in der Regel schneller Lösungen findet, allerdings keine Garantie für ihre Richtigkeit bietet.

A

Ein zentrales Problem in der KI ist der optimale Einsatz begrenzter Rechenkapazitäten, sodass die Probleme innerhalb eines annehmbaren Zeitrahmens gelöst werden. Da Rechenzeit und Energieverbrauch mit der Komplexität des Problems drastisch zunehmen, ist es irgendwann effizienter, annähernde statt perfekter Lösungen zu finden. Mit diesem zentralen Konzept der heuristischen Suche konnten Computer erheblich mehr Probleme lösen.

Zu Beginn der 1960er-Jahre erzielten Margaret Masterman (1910–1986) und ihre Kollegen an der Cambridge Language Research Unit mit ihren **semantischen Netzen** den Durchbruch bei der **maschinellen Übersetzung**. Die ersten Versuche im Bereich der natürlichen Sprachverarbeitung führten zu einem sehr beliebten Programm: ELIZA. Das interaktive Programm wurde 1965 am Massachusetts Institute of Technology entwickelt und simulierte einen menschlichen Psychotherapeuten.

Shakey, der »wackelnde« Roboter, hatte seinen ersten Auftritt Ende der 1960er-Jahre und begründete die mobile

Robotik. Er demonstrierte, wie logisches Denken mit digitaler Wahrnehmung, z. B. mit »Sehfähigkeit«, kombiniert werden kann, damit die körperlichen Aktivitäten planvoll und gesteuert ablaufen.

In dieser Zeit gab es auch die ersten **KI-Spieler**. Damals glaubten die Forscher, dass Strategiespiele Planung, Intuition, Erfahrung sowie Problemlösungsfähigkeiten auf sehr hohem Niveau erforderten – kurzum: menschliche Intelligenz. Auch wenn sich rasch herausstellte, dass Spiele wie Dame und Schach eine viel geringere Herausforderung darstellten als gedacht, erwies sich das Trainieren und Testen neuer KI-Algorithmen in einer Spielumgebung als äußerst nützlich. Ein Beispiel für einen frühen Erfolg war Arthur Samuels Schachprogramm, das sich verbesserte, indem es immer wieder gegen sich selbst spielte. Viele halten Samuels Erfindung für die erste Demonstration maschinellen Lernens. Heute wenden u. a. die Organisationen DeepMind (Google) und **OpenAI** (Non-Profit) diese Strategie des »Gegen-sich-selbst-Spielens« an.

Maschinelle Übersetzung ist ein Bereich im Forschungsfeld des maschinellen Lernens und erforscht Algorithmen, die automatisch Sprache oder Text aus einer Sprache in eine andere übersetzen.

Semantische Netze sind eine Form der Darstellung von Informationen. Sie ermöglichen die mathematische Darstellung von Beziehungen zwischen verbalen Konzepten, so wie die Mindmaps, die im Brainstorming zur Verknüpfung von Ideen und Konzepten verwendet werden.

KI-Spieler sind Algorithmen, die in realen Spielen oder Computerspielen eingesetzt werden. Mit dieser Methode der KI-Forschung werden Algorithmen in Spielen gegen andere Algorithmen oder gegen Menschen getestet. Ziel ist die Entwicklung von Eigenschaften für komplexere oder nützlichere Anwendungen bei realen Aufgaben.

Die gemeinnützige Forschungseinrichtung **OpenAI** wurde 2015 von Elon Musk und Sam Altman gegründet. Sie entwickelt KI-Algorithmen, von denen die gesamte Menschheit profitieren soll.

B

A

In dieser Zeit, 1958, erfand Frank Rosenblatt (1928–1971) das Perzeptron, das auf dem Konzept biologischer Neuronen basierte. Einzelne Neuronen bildeten neuronale Netze, die die Grundlage des Lernens sind. Das Perzeptron war revolutionär und bahnbrechend für die Idee, die Neurowissenschaft zur Erschaffung lernender Maschinen einzusetzen.

Dieser einfache KI-Algorithmus führte in den 1950er-Jahren letztendlich zur Entwicklung künstlicher neuronaler Netze, die mehrere künstliche Neuronen in drei Schichten miteinander verbanden: Eingabeschicht, Zwischenschicht und Ausgabeschicht. Das Netzwerk liest ein, verarbeitet und gibt ein Ergebnis aus. Die Verbindung zwischen jedem Neuronenpaar wird als synaptische Gewichtung bezeichnet: Die Zahl verändert sich, während das Netzwerk lernt.

In den 1970er-Jahren interessierte sich niemand für die Technologie, doch mit der Entdeckung der Backpropagation (oder Fehlerrückführung) kam sie in den späten 1980er- und 1990er-Jahren zu neuen Ehren. Bis dahin konnten neuronale Netze allenfalls eine einzige Zwischenschicht enthalten, da es keine wirksame Methode gab, die synaptische Gewichtung mehrerer Zwischenschichten zu verändern. Mit der Backpropagation können Forscher neuronale Netze mit mehreren Zwischenschichten bauen, die somit auch vielfältigere Funktionen erlernen können. Heutzutage können moderne neuronale Netzwerkarchitekturen bei Bild- und Spracherkennung, Spielen oder in der Radiologie mitunter mit menschlicher Leistung konkurrieren.

Die größten Erfolge des ersten KI-Booms sind aber wohl die wissensbasierten Programme, die bei der Lösung von komplexen Problemen auf eine Wissensdatenbank zugreifen. Zu Beginn gab es hier fast nur Expertensysteme, also Programme mit bestimmtem Wissen in einem speziellen Fachgebiet.

1967 wurde z. B. das Dendral-Programm entwickelt, das Organiker bei der Analyse von **Massenspektren** organisch-chemischer Verbindungen unterstützte. Es war das erste erfolgreiche wissensbasierte System. Seine grundlegende Funktion – bei bestimmten, vorgegebenen Beschränkungen eine Problemlösung zu finden – wurde später in der Unternehmens- und Finanzplanung eingesetzt. Im selben Jahr wurden wissensbasierte Systeme für Mathematik und Schach entwickelt. Spätere Programme wie **MYCIN** und **CADUCEUS** waren weitere Beispiele für das Potenzial von KI in der medizinischen Diagnostik. Expertensysteme waren wohl die ersten praktischen Erfolge auf dem Gebiet und weckten hohe Erwartungen bei Investoren und Forschern.

KI war scheinbar nicht mehr aufzuhalten.

Backpropagation ist eine mathematische Methode, bei der jedem künstlichen Neuron innerhalb eines künstlichen neuronalen Netzes ein Fehler zugewiesen wird. Damit wird das Netzwerk zur korrekten Antwort rückgeführt und der Fehler minimiert.

Ein **Massenspektrum** ist ein Graph, der bei einer chemischen Analyse erzeugt wird und bestimmte Merkmale eines Moleküls darstellt. Es wird häufig verwendet, um in einer Flüssigkeit aus verschiedenen Chemikalien bestimmte Moleküle zu identifizieren.

Das medizinische Expertensystem **MYCIN** setzt KI zur Feststellung von Infektionen und Blutgerinnungsstörungen ein. Es kann den Bakterientyp erkennen, der zu schweren Infektionen führt, und entsprechende Antibiotika sowie ihre Dosierungen empfehlen.

Das Expertensystem **CADUCEUS** kann auf der Basis von MYCIN bis zu 1000 verschiedene Krankheiten diagnostizieren.

In den 1970er-Jahren tauchten jedoch immer mehr Probleme auf, die in einen **KI-Winter** mündeten. Eines war die Hardware: Computerspeicher und Prozessorgeschwindigkeiten konnten mit dem steigenden Bedarf der KI nicht mithalten, sodass neue Ideen nicht getestet werden konnten. Ein anderes Problem war die **kombinatorische Explosion**, aufgrund derer die Berechnung vieler realer Probleme unzumutbar lange dauerte. Daher konnten Lösungen, die auf Toy-Problem-Größe funktionierten, nicht so ausgebaut werden, dass sie sinnvoll einsetzbar gewesen wären. Außerdem brauchten die Programme für maschinelles Sehen und natürliche Sprache Unmengen an Weltwissen.

Damals konnten keine Datenbanken für derart riesige Datenmengen erstellt werden. Weitere Probleme waren eine übermäßige Abhängigkeit von True-/False-Systemen und unzureichende Methoden für den Umgang mit Unsicherheiten. Die frühen Systeme waren für komplexe und dennoch brauchbare Anwendungen nicht ausgerüstet.

Ein **KI-Winter** ist ein Zeitraum in der Geschichte der KI, in dem Interesse und Fördermittel abnahmen, was zu langsamerem Fortschritt führte. Es gab bisher zwei lange KI-Winter, von 1974 bis 1980 und von 1987 bis 1993.

Kombinatorische Explosion bezeichnet das exponentielle Wachstum eines Problems, wenn die Einstellungen immer komplexer werden. Ein zentrales Problem der KI ist die Begrenzung dieses Wachstums, damit die Rechenzeit nicht zu lang wird und die Problemlösung nicht zu viele Ressourcen verschlingt.

5. Computergeneration (Fifth Generation Computer Systems) heißt ein Projekt, das vom japanischen Ministerium für internationalen Handel und Industrie finanziert wurde. 1982 wurden leistungsstarke Computer entwickelt, die ähnlich wie heutige Supercomputer arbeiten. Die neue Computergeneration sollte eine Plattform zum Testen und Entwickeln von KI werden.

A

A Die Großrechner der Burroughs Corporation, wie diese Konsole mit Magnetbandlaufwerk, waren in den 1970er-Jahren besonders in Unternehmen sehr beliebt. Die Produktlinien waren in drei Modelltypen für unterschiedliche Ansprüche unterteilt, und jedes Modell war auf eine bestimmte Programmiersprache zugeschnitten.

B Akihabara ist die Einkaufsmeile für Elektronikartikel in Tokio. Hier werden seit den 1980er-Jahren Heimcomputer und dazugehörige Bauteile an Fachleute und Laien verkauft. Sie erfreut sich auch heute noch großer Beliebtheit.

In den 1970er-Jahren befasste sich eine Reihe kritischer Berichte mit diesen Problemen. Sie bremsten den Optimismus in Sachen KI-Forschung. KI wurde ein Opfer der eigenen Popularität, und die Forscher hatten mit überzogenen Erwartungen zu kämpfen. Wichtige Regierungsbehörden reagierten verärgert auf den mangelnden Fortschritt und praktischen Erfolg und stellten die Finanzierung ein.

Japan läutete dann eine zweite Wachstumsrunde für die Künstliche Intelligenz ein. Anfang der 1980er-Jahre stellte Japan Mittel für den Start des Projekts 5. Computergeneration bereit: Eine massiv-parallele Rechnerarchitektur als Hardwareplattform sollte entwickelt werden, um die Entwicklung leistungsstarker KI-Programme zu unterstützen.

A

ist ein Oberbegriff für KI-Algorithmen, die auf der Verarbeitung von Symbolen und Regeln beruhen. Dieser Ansatz erreichte wohl mit den Expertensystemen seine Grenzen.

Die **Entscheidungstheorie** erforscht die Logik und die Mathematik von Entscheidungen unter ungewissen Bedingungen. Die Ergebnisse führen zu Strategien für eine optimale Auswahl basierend auf den Risiken erwarteter Gewinne und Verluste.

Gleichzeitig interessierte sich nun auch Russland für künftige Rechnergenerationen und KI. Daher regten sich in den USA Bedenken, dass dort die Technologie ins Hintertreffen geraten könnte, und eine Gruppe US-amerikanischer Unternehmen und Forscher nahm die KI-Forschung wieder ernsthaft in Angriff. Das US-Verteidigungsministerium startete eine Langzeitinitiative zur Entwicklung von KI-Systemen wie selbstfahrenden Autos und Panzern.

In den 1980er-Jahren erstarkten die Expertensysteme wieder, da man davon ausging, dass die Fähigkeit zur Verarbeitung großer Mengen unterschiedlicher Daten eine Voraussetzung für intelligentes Denken war. Hunderte dieser Systeme wurden überall auf der Welt mühevoll von Unternehmen entwickelt und eingesetzt. Doch die neue Generation stand bald wieder vor Problemen: Kleinere Systeme hatten zu wenig Rechnerkapazität, um die Probleme der realen Welt zu lösen, und die großen Systeme waren teuer, unpraktisch und umständlich zu bedienen. Ende der 1980er-Jahre scheiterte das Projekt der 5. Generation an den eigenen Vorgaben, und das Interesse an Expertensystemen ließ erneut nach. Ein zweiter KI-Winter kündigte sich an. Manche KI-Forscher vermieden nun sogar die Begriffe »Robotik« und »Künstliche Intelligenz«, um mögliche Finanzierungen nicht zu gefährden.

B

In den 1990er-Jahren kam die Forschung wieder in Gang. Man ging davon aus, dass die klassische KI oder **Good Old-Fashioned Artificial Intelligence** (GOFAI) für den Bau intelligenter Systeme ungeeignet war, da oft schon kleine Veränderungen der Problemdefinition oder der Ausgangsbedingungen den Algorithmus außer Kraft setzten. Immer mehr KI-Forscher begannen stattdessen, mit Algorithmen zu arbeiten, die besser mit Veränderungen umgehen können. Dazu mehr in Kapitel 2.

Abgesehen von dieser konzeptionellen Veränderung erkannte man, dass in anderen Bereichen wie Mathematik, Wirtschaftswissenschaften und den theoretischen Neurowissenschaften an vielen der Probleme geforscht wurde, die auch die KI-Forschung noch lösen musste. So kam es zu verstärkter Zusammenarbeit, und Ideen aus der Wahrscheinlichkeits- und **Entscheidungstheorie** hielten Einzug. Für Algorithmen des maschinellen Lernens wurden genaue mathematische Beschreibungen entwickelt. Allmählich kehrte der Optimismus zurück.

Die weitverbreitete Nutzung des Internets kündigte ein neues Zeitalter für die KI-Forschung an.

A   Von 1976 bis 1980 wurde in Armenien das Kernkraftwerk Metsamor gebaut. In jüngster Zeit geriet es wegen fehlender Sicherheitsbehälter und dem erdbebengefährdeten Standort in die Kritik.

B   Die Anlage zur Plutonium-Uran-Extraktion in Hanford (Washington, USA) stellte mithilfe von computergesteuerten Instrumententafeln radioaktive Materialien im industriellen Maßstab her. Während des Kalten Krieges wurde der Betrieb ausgeweitet. 1987 wurde die Anlage vollständig stillgelegt.

Der Schachcomputer **Deep Blue** verkörperte die klassische KI. Bei der Planung der einzelnen Züge arbeitete er mit Brute-Force-Methoden.

Web-Crawler sind Internetbots, die systematisch Informationen im Netz sammeln. Häufig werden sie zur Erstellung eines Index von Websites und Webseiten für Suchmaschinen verwendet.

Das Rennen **DARPA Grand Challenge** wird von der US Defense Advanced Research Projects Agency (DARPA) finanziert und fördert die Entwicklung autonomer Fahrzeuge.

Die Bilddatenbank **ImageNet** enthält für jedes Bild Beschreibungen mit mehreren Schlüsselwörtern oder Ausdrücken. ImageNet wurde von Dr. Fei-Fei Li an der Stanford University entwickelt und ist eine der ersten Datenbanken, die das Problem des steigenden Bedarfs an Daten in der Bilderkennungsforschung lösen hilft. An ihr können Forscher immer kompliziertere Algorithmen testen, die Multimediadaten indizieren, laden, organisieren und kommentieren.

Deep Learning ist eine beliebte Methode des maschinellen Lernens. Sie arbeitet mit mehrschichtigen neuronalen Netzwerkarchitekturen, die sich am menschlichen Gehirn orientieren.

Weil die Hardwareleistung und das verfügbare Datenvolumen exponentiell zunahmen, machte die KI auf vielen Gebieten große Fortschritte. Am 11. Mai 1997 gewann mit IBMs **Deep Blue** das erste Computerprogramm gegen den amtierenden Schachweltmeister Garri Kasparow. Im selben Jahr setzte die Pathfinder-Mission der NASA den ersten selbstfahrenden Rover auf dem Mars ab. **Web-Crawler** sorgten 1998 für den steilen Aufstieg von Google und anderen damals aktuellen Suchmaschinen.

Einen weiteren Erfolg verzeichnete die KI im Jahr 2005, als das autonome Fahrzeug Stanley der Stanford University die **DARPA Grand Challenge** gewann und ein breites Interesse an fahrerlosen Fahrzeugen auslöste. 2009 brachte dieselbe Universität **ImageNet** auf den Markt, eine große Bilddatenbank zur Objekterkennung. Sie lieferte ausreichende Datenmengen für KI-Forscher, um mehrschichtige künstliche neuronale Netze weiterzuentwickeln. 2012 führte ein Durchbruch in der Bilderkennung mithilfe von ImageNet zu einer Revolution im Bereich des **Deep Learning**. Seitdem ist KI nicht mehr aufzuhalten.

Wie sieht die Zukunft von KI aus?

Wie die turbulente Geschichte zeigt, befinden wir uns vielleicht nur in einem weiteren Hype. Doch verglichen mit den bisherigen Perioden unterscheidet sich der gegenwärtige KI-Boom durch ein entscheidendes Merkmal: die Vermarktungsmöglichkeiten. Heute findet der Fortschritt in der KI-Forschung schnell Einzug in kommerzielle Anwendungen. Der Trend zieht Unternehmen an, die bahnbrechende Grundlagenforschung finanzieren und hoffen, dass kommerziell erfolgreiche Durchbrüche erzielt werden. Es gibt bereits Präzedenzfälle: Die Genauigkeit von Google Translate nahm dank der bei Google Brain entwickelten Algorithmen zu. 2016 kündigte Google an, die KI ins Zentrum zu rücken, und andere Unternehmen wie Facebook, Apple, Amazon, Microsoft und Baidu schlossen sich an.

Heute findet ein Paradigmenwechsel statt. KI soll als Werkzeug der Lösung von Problemen dienen und nicht dem Aufbau eines intelligenten Verstandes. Dies ist ein wichtiger Antrieb für die betroffenen Branchen, viel Geld in den Wettlauf zu investieren.

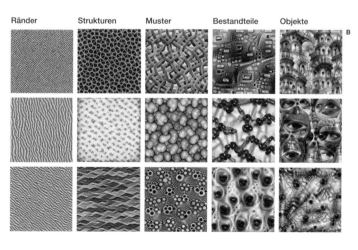

Ränder   Strukturen   Muster   Bestandteile   Objekte

A   1999 verlegte Google seinen Sitz nach Palo Alto und organisiert seitdem das Weltwissen.

B   Mithilfe der Visualisierung von Merkmalen können Forscher erkennen, wie tief neuronale Netze wie GoogLeNet Bilder in mehreren Schichten verstehen. Zuerst erkennt es Ränder, und dann abstrahiert es so lange, bis es das ganze Objekt erkennt.

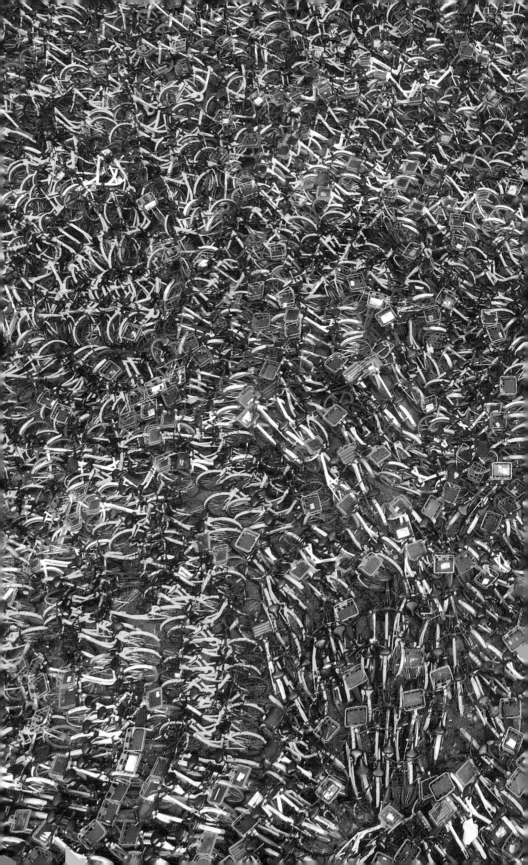

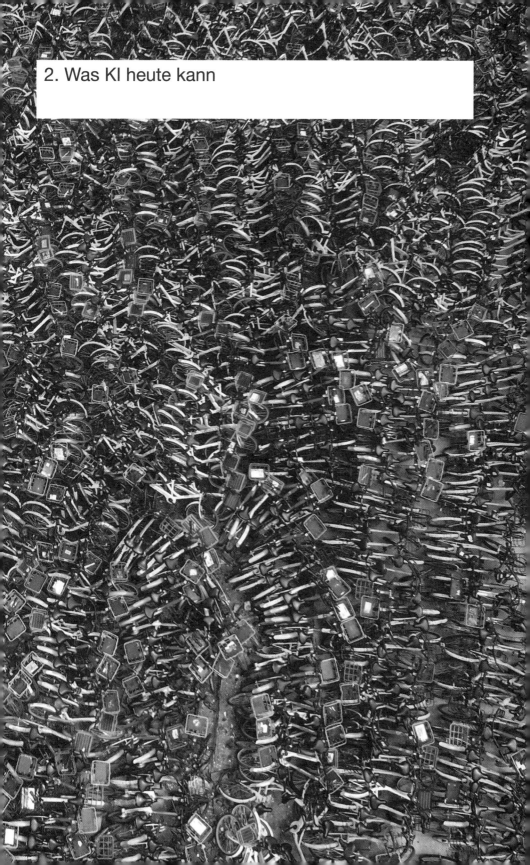

2. Was KI heute kann

A

KI-Technologien gehören heute schon zu unserem Alltag.

Technikbegeisterte Menschen wachen auf und freuen sich dank ihres intelligenten Nest-Thermostats über angenehme Wärme. Ihr Weg zur Arbeit wird einfacher, weil Google Maps die Verkehrslage vorhersagt und vor Staus warnt. Im Büro empfiehlt die Mail-App von Apple automatisch Antworten auf E-Mails und führt noch dazu die Rechtschreibprüfung durch. Am Abend schalten sie Netflix ein und lassen sich eine neue Show empfehlen. KI macht also ihr Leben, ihre Arbeit und ihren Alltag leichter.

B

Im März 2018 ergab eine Gallup-Umfrage unter 3000 US-Amerikanern, dass 85 Prozent von ihnen intelligente Produkte wie Navigationssysteme, Streaming-Dienste und Car-Sharing-Apps nutzen. Es dürfte daher kaum verwundern, dass einige der erfolgreichsten Unternehmen im Silicon Valley an KI-Anwendungen arbeiten. Es gibt heute so viele intelligente Anwendungen, dass gar nicht alle erwähnt werden können. Daher legt dieses Buch den Fokus auf Bereiche, in denen die Auswirkungen von KI bereits sichtbar sind, und zeigt einige der Technologien und Algorithmen auf, die hinter diesen Anwendungen stecken.

A/B Diese Google-Street-View-Aufnahmen stammen von Jon Rafman aus seinem Online-Kunstprojekt *9 Eyes* (seit 2009). 2007 startete Google Street View, das Panoramaaufnahmen entlang vieler Straßen weltweit bereitstellt. Mittlerweile erfasst es auch ländliche Gegenden. Die Bilderserie zeigt Momentaufnahmen vom Leben in anderen Kulturen und Gesellschaften.

Zweifellos ist maschinelles Lernen der wichtigste Einflussfaktor in der KI-Forschung der letzten beiden Jahrzehnte. Programme können automatisch ihre Leistung bei einer bestimmten Aufgabe verbessern, indem sie aus einer riesigen Datenmenge lernen. Anders als herkömmliche Programme haben selbstlernende Algorithmen keinen festen Code, sondern werden trainiert. Anstatt für die Berechnungen einen regelbasierten Top-down-Ansatz mit vorgegebenem Regelsatz zu verwenden, lernen diese leistungsstarken Algorithmen von der Pike auf, und zwar nicht vom Menschen, sondern von Daten. Diese Algorithmen rechnen nicht deterministisch, sondern verlassen sich auf Statistik.

Dank maschinellem Lernen sind wir wirklich intelligenten Maschinen einen Schritt näher.

Der Aufstieg selbstlernender Programme beruht teilweise auf billigerer und verlässlicherer Hardware, mit der sich Systeme, die mit Daten aus der realen Welt arbeiten, leichter aufbauen lassen. Computer können immer größere Datenmengen sammeln, speichern und verarbeiten. Dies führt zu selbstlernenden Algorithmen, die mit verschiedenen statistischen Methoden Lösungen herleiten.

Maschinelles Lernen ist nur ein Oberbegriff für eine Gruppe unterschiedlicher Statistikmethoden, die zur Lösung bestimmter Probleme eingesetzt werden. Viele dieser Algorithmen basieren zwar in hohem Maß darauf, sich menschliche Denkweisen anzueignen, im Grunde beruht aber doch alles nur auf technischen Abläufen. Es geht nicht um philosophische Fragen wie: »Können Maschinen denken?« oder »Haben sie ein Bewusstsein?« Maschinelles Lernen will bestimmte menschliche Aufgabenbereiche explizit im Computer nachbilden, damit Programme effiziente Lösungen für ein Problem ausgeben. Momentan geht es nicht um maschinelles Bewusstsein. Spricht man also mit einem digitalen Assistenten, so verstehen die Algorithmen nicht die Bedeutung der gesprochenen Sätze. Sie können nur auf der Verhaltensebene Wörter, Ausdrücke und Sätze so zerlegen, dass der Algorithmus damit einen Sprachbefehl ausführen kann: Er kann beispielsweise ins Internet gehen und den Wetterbericht abrufen.

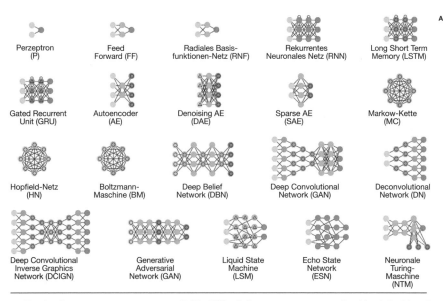

A

Perzeptron (P)	Feed Forward (FF)	Radiales Basisfunktionen-Netz (RNF)	Rekurrentes Neuronales Netz (RNN)	Long Short Term Memory (LSTM)
Gated Recurrent Unit (GRU)	Autoencoder (AE)	Denoising AE (DAE)	Sparse AE (SAE)	Markow-Kette (MC)
Hopfield-Netz (HN)	Boltzmann-Maschine (BM)	Deep Belief Network (DBN)	Deep Convolutional Network (GAN)	Deconvolutional Network (DN)
Deep Convolutional Inverse Graphics Network (DCIGN)	Generative Adversarial Network (GAN)	Liquid State Machine (LSM)	Echo State Network (ESN)	Neuronale Turing-Maschine (NTM)

○ Eingabezelle	⬡ Striking Hidden Cell	● Abweichende Speicherzelle
◎ Backfed-Eingabezelle	● Ausgabezelle	● Kernel
△ Verrauschte Eingabezelle	● Match Input Output Cell	● Convolution oder Pool
● Verdeckte Zelle	● Rekurrente Zelle	
● Probabilistische verdeckte Zelle	● Speicherzelle	

B

Eine Untergruppe der KI bildet die **Spracherkennung**, die Methoden entwickelt, mit denen Computer gesprochene Sprache erkennen und in Text umwandeln können.

Neuronale Schaltkreise bestehen aus miteinander verbundenen Neuronen im Gehirn, die bei Aktivierung bestimmte Funktionen ausführen.

Wenn Benutzer mit einem sprachgesteuerten Assistenten – z. B. Siri – sprechen, wird ein zweistufiger Prozess ausgelöst. Zuerst aktiviert Siri ein KI-System für **Spracherkennung**, das ungenaue Audiodaten in eindeutigen Text umwandelt. Dieser Schritt ist unglaublich schwierig, da die menschliche Stimme je nach Herkunft und Geschlecht des Sprechenden über viele Tonlagen und Akzente verfügt. Damit Spracherkennung für alle Nutzer effizient funktioniert, verwendet das System eine maschinelle Lernmethode – das Deep Learning.

A »A mostly complete chart of neural networks« von Fjodor Van Veen. Einzelne Neuronen lassen sich innerhalb eines neuronalen Netzes auf viele Arten strukturieren und verbinden. Diese »Architekturen« kontrollieren den Fluss der Berechnungen. Es werden ständig neue Variationen entwickelt, um den Erfolg zu maximieren und die Rechenzeit zu optimieren.

B 2018 startete Google mit einem mehrsprachigen Support für seinen Assistenten. Nutzer können während einer Anfrage zwischen Sprachen wechseln.

Deep Learning ist heute die treibende Kraft hinter dem maschinellen Lernen. Die Wurzeln der Methode liegen in künstlichen neuronalen Netzen, die von den biologischen **neuronalen Schaltkreisen** inspiriert sind, mit denen wir Menschen denken. Der große Erfolg dieser Technik zeigt sich in fast allen KI-Anwendungen. In der Spracherkennung hat Deep Learning die Fehlerquote auf unter zehn Prozent gesenkt.

Sobald die Sprache des Nutzers transkribiert ist, entschlüsselt Siri, welche »Botschaft« hinter den Wörtern steckt. Dazu werden Algorithmen für die natürliche Sprachverarbeitung verwendet, die mit Millionen von Beispielen trainiert werden. Da die menschliche Sprache häufig ungenau oder mehrdeutig ist, braucht Siri einen großen Datensatz, um Sprachvarianten zu erfassen und zu verallgemeinern und somit die Bedeutung zu erfassen. Die Stärke von Deep Learning liegt jedoch darin, dass – mit ausreichenden Beispielen – natürliche Sprachverarbeitungssysteme Sprache verstehen, Gefühle in Sätzen analysieren und automatisch in eine andere Sprache übersetzen können.

Die zweite häufig verwendete KI-Anwendung sind persönliche Empfehlungen. Betrachten Sie z. B. vier scheinbar unterschiedliche Unternehmen: Netflix, den

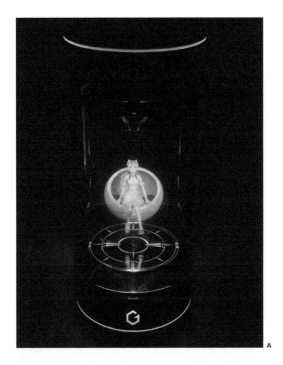

A

A   Die virtuelle Assistentin **Hatsune Miku** ist ein Hologramm und wurde 2017 in Chiba, Japan, gezeigt. Sie wurde ursprünglich mit Vocaloid, einem Software-Synthesizer, als virtueller Popstar entwickelt.

B   Die Abbildungen zeigen Visualisierungen einer großen Filmdatenbank (links) und Verbindungen zwischen Datensätzen (rechts), die von Chris Hefele als Teil des Netflix Prize erstellt wurden.

Natürliche Sprachverarbeitung ist ein KI-Teilbereich, der Computern ermöglicht, menschliche Sprache zu verstehen, zu deuten und zu verarbeiten.

Kontextwerbung bezeichnet eine Methode der automatisierten Online-Werbung, die Zielgruppen anhand ihres Browserverhaltens oder ihrer Verwendung von Suchbegriffen bestimmt.

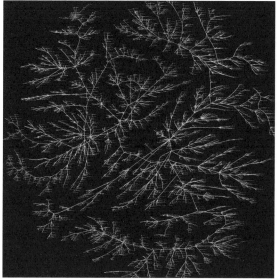

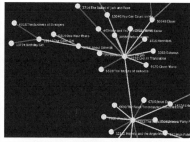

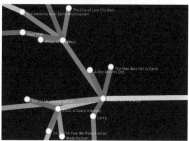

Streamingdienst für Filme, Amazon, die Plattform für Online-Shopping, Facebook, das Social-Media-Netzwerk, und Google, die Suchmaschine. Auch wenn diese Unternehmen unterschiedliche Dienste anbieten, führen ihre KI-Systeme grundsätzlich eine sehr ähnliche Aufgabe aus: Sie stehen an den Informationspforten.

Diese Unternehmen setzen maschinelles Lernen ein, um vorherzubestimmen, welche Informationen ihren Nutzern gezeigt werden. Ähnliche Systeme werden auch in der **Kontextwerbung** und bei Dating-Plattformen verwendet.

Eigentlich wollen diese KI-Anwendungen gute Empfehlungen geben, selbst wenn sie mit Unsicherheit arbeiten müssen. Amazon kann z. B. eine Buchempfehlung anzeigen, die auf einem vorherigen Kauf basiert, auch wenn es Ihre Lesegewohnheiten nicht genau kennt. Dies wird auf zwei sich ergänzenden Wegen erzielt: Zuerst erstellt das System ein Modell des Geschmacks eines Nutzers, das auf früherem Verhalten und ähnlichen Entscheidungen anderer Nutzer beruht. Mit dieser Methode kann Amazon Artikel anbieten, die auf dem Bestellverlauf basieren. Facebook, LinkedIn und andere soziale Netzwerke nutzen ein ähnliches System, um Freunde oder berufliche Kontakte zu empfehlen.

Zweitens stützt sich das System auf eine KI, die eine Reihe von Merkmalen aus einem Artikel herauszieht und daraus ein Profil erstellt. Das System sucht weitere Artikel mit einem ähnlichen Profil und sagt die Bedeutung jedes Merkmals für einen bestimmten Nutzer voraus. Die Filmkritikseite Rotten Tomatoes verwendet diese Methode für ihre Filmempfehlungen.

Unsicherheit ist ein kritisches Problem für diese Systeme, denn sie haben häufig kein vollständiges Profil – weder von den Artikeleigenschaften noch von den Nutzervorlieben. Folglich müssen sie einschätzen, wie wahrscheinlich den Nutzern ihre Empfehlungen gefallen werden. Hier zeichnen sich besonders die bekannten Algorithmen aus, die auf der **Bayesschen Statistik** beruhen. Mit diesen Algorithmen lässt sich die Plausibilität einer bestimmten Hypothese basierend auf neuen Daten verbessern, etwa die Wahrscheinlichkeit, dass einem Nutzer ein Film oder ein Song gefallen könnte. Dies ist eine besonders leistungsfähige Methode, die Wissen aus spärlichen, ungenauen (verrauschten) Daten sammelt. Ein Nutzer kann ein Buch als Geschenk kaufen, was Ungenauigkeit beim Aufbau seines Geschmacksprofils erzeugt. Mit Bayesschen Methoden kann KI trotz fehlerhafter Daten angemessen lernen. Häufig werden sie mit anderen Algorithmen, z. B. mit künstlichen neuronalen Netzen, zu **Meta-Lernern** mit optimalen Ergebnissen kombiniert.

Der Einsatz von KI für Empfehlungen floriert.

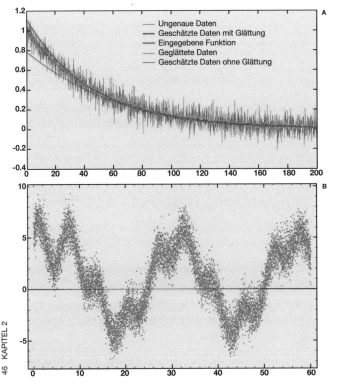

Die **Bayessche Statistik** ist eine Inferenzmethode, die unter Verwendung des Satzes von Bayes die Wahrscheinlichkeit einer Hypothese aufgrund neuer Erkenntnisse ändert. Sie liefert den Rahmen zur Darstellung und Veränderung von Unsicherheit beim maschinellen Lernen.

Meta-Lerner sind Algorithmen des maschinellen Lernens, die das Lernen lernen. Anstatt nur eine Aufgabe zu trainieren, geht es bei ihrer Entwicklung um das schnellere Erlernen neuer Aufgaben aufgrund bestehender Erfahrungen.

A Verrauschte Daten (gezackte Linie) werden statistisch auf mehrere Arten verarbeitet, um sie als Exponentialkurve (rote Linie) darzustellen. Wissenschaftler glätten das Rauschen realer Daten, um Trends zu erkennen.
B Ein computergenerierter Datensatz enthält 10 000 rauschempfindliche Datenpunkte. Informatiker können mithilfe des Quantilsregressionsalgorithmus denjenigen finden, der sich am besten für derart verrauschte Daten eignet.
C Die Netflix-Serie *Stranger Things* war ein sofortiger Erfolg. Neben den Empfehlungs-Engines verwendet Netflix maschinelles Lernen, um jede Folge individuell zu bewerben.

C

Für Netflix ist das Empfehlungssystem äußerst wertvoll. Seine Plattform CineMatch erstellt ein Modell der Vorlieben seiner Nutzer und führt sie dann zu unbekannteren Filmen und Fernsehshows, die das Unternehmen billiger mieten kann. Indem Netflix die Aufmerksamkeit von den teuren Blockbustern weglenkt, stellt der Sender sicher, dass die Abonnementeinnahmen ausreichen, um die Leasinggebühren zu decken und Gewinne zu erwirtschaften. 2006 setzte das Unternehmen einen Preis in Höhe von 1 Mio. US-Dollar für die Person aus, die die Genauigkeit der Empfehlungen um zehn Prozent verbessert.

Bereits im Jahr 2012 basierten laut Netflix 75 Prozent der von jedem Nutzer betrachteten Filme auf dem Empfehlungsalgorithmus.

Netflix produziert auch selbst Inhalte und nutzt dazu seine Massendatenbank mit den Sehgewohnheiten der Nutzer. Netflix ermittelte zunächst, welche Handlungen und Schauspieler die meiste Aufmerksamkeit erzielen, und produzierte dann entsprechende Filme und Fernsehserien. Auf diese Weise hat Netflix mehrere Serienerfolge herausgebracht, z. B. *House of Cards, Orange Is the New Black* und *Stranger Things.* Andere Streamingdienste wie Amazon Prime Video und Hulu nutzen diese Methode ebenfalls.

A

Außerhalb der digitalen Welt verändern KI-Systeme rasant die Art, wie wir mit der realen Welt interagieren. Selbstfahrende Fahrzeuge zählen dazu, die unser aktuelles Verkehrssystem revolutionieren werden. Noch in den 2000er-Jahren herrschte die Meinung, selbstfahrende Fahrzeuge könnten nicht automatisiert werden, da die städtischen Umgebungen zu komplex und die unerwarteten Ereignisse, die außerhalb der Kontrolle eines Autos passieren können, zu zahlreich sind.

Aufgrund großzügiger Finanzierung durch die DARPA erlebte die Erforschung autonomer Fahrzeuge 2004 einen regelrechten Schub. In der Wüste von Nevada (USA) lieferten sich 15 selbstfahrende Fahrzeuge ein Wettrennen über 228 km. Obwohl keines der Teams das Ziel erreichen konnte, sorgte das Preisgeld von 1 Mio. US-Dollar für steigendes Interesse an der Entwicklung von Kerntechnologien zur Steuerung selbstfahrender Autos, darunter auch hoch entwickelte Sensortechnologien und 3-D-Landkarten.

Autonome Fahrzeuge ändern sich derzeit so schnell wie keine andere KI-Anwendung.

Im Februar 2018 hatte die selbstfahrende Flotte von Google Waymo auf öffentlichen Straßen in 25 US-amerikanischen Städten 8 Mio. Kilometer zurückgelegt. Die meisten von Tesla hergestellten Fahrzeuge sind mit Hardware für vollautomatisches Fahren ausgestattet und werden ständig mit Softwareupdates weiterentwickelt.

Dieser rasante und überraschende Fortschritt ist zum Teil den großen Vorleistungen in einigen KI-Bereichen zu verdanken, z. B. **maschinelles Sehen**, **Suchen und Planen** und **bestärkendes Lernen**. Daher kann eine KI ständig ihr Umfeld wiedergeben und mögliche Veränderungen vorhersehen. Im Wesentlichen durchläuft ein selbstfahrendes Auto sechs wichtige Schritte, während es sicher eine Straße entlangfährt.

Erstens orientiert sich das Auto über GPS und anhand einer detaillierten 3-D-Karte seiner Umgebung. Diese hochaufgelösten Karten werden erstellt, indem immer wieder durch eine bestimmte Gegend gefahren wird, um alle möglichen Veränderungen der Straßenbedingungen zu erfassen. Landkarten sind für KI-Fahrer wichtig, da sie eine Grunderwartung an die Umgebung festlegen und dem Fahrzeug ein gewisses Vorabwissen ermöglichen.

Der KI-Bereich **maschinelles Sehen** entwickelt Systeme, die Informationen aus Bildern und anderen visuellen Daten erhalten, analysieren und verstehen. Diese Technologie steckt hinter der Gesichtserkennung und der automatischen Zahlenerkennung.

Suchen und Planen bezeichnet einen KI-Bereich, der sich auf die Gestaltung der Schritte im Entscheidungsprozess von Robotern oder Computerprogrammen konzentriert, die ein bestimmtes Ziel erreichen sollen.

Bestärkendes Lernen ist eine maschinelle Lernmethode. KI-Systeme lernen, in einer Umgebung zu navigieren und zu agieren, indem sie Handlungen erproben und das Ergebnis betrachten.

B

A

Zweitens sammelt das Auto Daten von seinen Sensoren, einschließlich der Rundumkameras, die eine 360-Grad-Darstellung, Ultraschall- und Radarsensoren sowie **Lidar** besitzen. Die Sensoren sammeln gemeinsam Daten von Objekten in der Nähe, z. B. über Größe, Form sowie Geschwindigkeit und Bewegungsrichtung.

Im dritten Schritt werden diese Daten in Objekte umgewandelt, die den Weg des Autos stören können. Dieser Schritt erfordert maschinelles Sehen, einen Grundpfeiler der KI-Forschung. Es bringt Maschinen bei, Bilder, Videos und sonstige visuelle Multimediadaten zu »sehen« und zu »deuten«. Diese KI-Algorithmen verstehen nicht implizit, was sie sehen, sondern erzeugen daraus nur die richtige, explizite Ausgabe: Sie erkennen z. B. einen Hund auf einem Bild, ohne das Konzept eines Hundes zu verstehen. Bei autonomen Fahrzeugen werden die gesammelten Daten verwendet, um den Algorithmen beizubringen, jedes Objekt anhand seiner Form und seines Verhaltens einzuordnen. Durch die Verarbeitung von Millionen von Beispielen lernt die KI, Fußgänger, Radfahrer, Fahrbahnmarkierungen und andere Dinge zu erkennen.

Da Objekte sich auf der Straße bewegen, muss die KI auch die Richtung und die Geschwindigkeit der Bewegung vorhersagen. Geht der Fußgänger auf das selbstfahrende Auto zu, oder geht er weg? In diesem vierten Schritt werden die Handlungen der Objekte auf der Straße vorhergesagt. Die KI erreicht dieses Ziel z. B. mit der Support Vector Machine (SVM), einem Algorithmus, der auf einem einfachen Prinzip beruht, nämlich dass Menschen mithilfe von Analogien lernen. In einer chaotischen Welt suchen wir Gemeinsamkeiten zwischen verschiede-

A Ein Lidar-System erzeugt 360-Grad-Karten in 3-D, die Objekte, Menschen etc. auf der Straße abbilden.

B Hier verwendet Lidar Laserimpulse, um von der Umgebung des Autos eine dreidimensionale »Punktwolke« zu erzeugen.

Die Fernerkundungstechnik **Lidar** (Light Detection and Ranging) verwendet Laserimpulse, um das direkte Umfeld zu beobachten und Messdaten zu sammeln, aus denen Modelle und Karten der Umgebung erstellt werden können.

nen Konzepten und Szenarien, um unbekannte Ereignisse mit bereits bekannten zu verknüpfen. Durch diese Vergleiche erkennen wir allgemeine Muster. Zusammen mit Deep Learning eignen sich SVM besonders, um die Sensorbilder des Autos zu analysieren, sodass es Fahrzeuge und Fußgänger erkennt und deren Bewegungen vorhersagen kann. Sie sind nicht nur in selbstfahrenden Autos sehr wichtige Hilfsmittel, sondern generell in der KI. Ist eine Szene erfasst, wird im fünften Schritt eine intelligente Reaktion auf das sich verändernde Umfeld festgelegt.

Suchen und Planen ist der KI-Bereich, der Maschinen beibringt, wie sie rechnen und die richtigen Reaktionsabfolgen wählen, um ein Problem zu lösen.

Unüberwachtes Lernen ist eine Art des maschinellen Lernens, bei der die KI aus nicht klassifizierten oder kategorisierten Daten lernt, sodass der Algorithmus ohne »Hilfe« agieren kann.

Planungsalgorithmen werden häufig verwendet, um Handlungsabfolgen in der Robotik abzubilden. Sie helfen dabei, unter gegebenen Beschränkungen einen Plan zu entwickeln. Wenn z. B. ein autonomes Auto seine aktuelle Umgebung analysiert, muss es in Echtzeit einen sicheren, bequemen und effizienten Weg durch eine Gruppe dynamischer Objekte nehmen, um sein Ziel zu erreichen, z. B. die nächste Kreuzung.

Die aktuelle KI-Methode in Sachen Entscheidungsfindung ist das bestärkende Lernen. Es funktioniert nach dem Prinzip von Versuch und Irrtum, mit dem auch Tiere dressiert werden. Dabei folgt auf eine Handlung entweder eine Belohnung oder eine Strafe. Das Tier passt sein Verhalten allmählich dem gewünschten Ergebnis an und erhält einen Leckerbissen.

A

B

In der KI ist die Belohnung eine Zahl, die der Algorithmus zu maximieren versucht. Während des Lernprozesses kann die Belohnung entweder sofort nach einer Handlung erfolgen oder erst nach Ablauf einer gesamten Handlungsabfolge.

A DeepMind trainiert KI-Agenten in virtuellen Spielen und lässt sie z. B. durch Labyrinthe gehen oder Früchte sammeln. KI auf 3-D-Spieleplattformen zu trainieren wird als Strategie immer beliebter.

B Dies ist ein Versuch von DeepMind, komplizierte motorische Abläufe, die ein Kennzeichen körperlicher Intelligenz sind, in der KI zu verstehen. Humanoide, gehende Roboter lernen, in fremden virtuellen Umgebungen zu gehen, zu laufen und zu fallen.

Kognitionswissenschaftler stellen fest, dass bestärkendes Lernen der Art entspricht, wie Menschen neues Wissen ohne genaue Anweisungen erwerben. Wir lernen z. B. durch Erfahrung intuitiv neue Fahrtechniken. In der KI ist der Algorithmus besonders nützlich, weil er einer Art des unüberwachten Lernens ähnelt. In der aktuellen Forschung werden hierbei die Algorithmen des bestärkenden Lernens mit Deep Learning kombiniert, und es entsteht das Deep Reinforcement Learning. Vorreiter war hier zunächst DeepMind. Das Modell kombiniert Lernen durch Versuch und Irrtum mit dem Lernen aus Rohdaten, z. B. aus den Pixeln in einem Bild. Wird die Technologie weiterentwickelt und auf eine selbstfahrende KI angewendet, so könnte die KI damit ihre jeweils nächsten Schritte festlegen – und zwar nur auf der Grundlage der Daten von den Sensoren, ganz ohne menschliche Eingriffe. Diese Klasse von Algorithmen lernt also, Handlungsabfolgen in einem bestimmten Umfeld auszuführen.

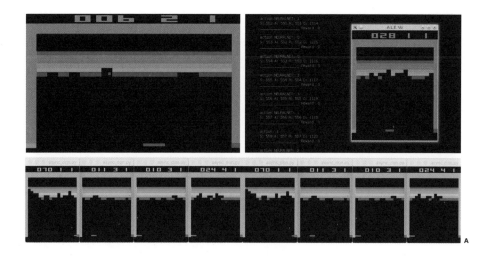

A

Deep Reinforcement Learning (DRL) beruht auf der Funktionsweise des menschlichen Gehirns. Ein zukunftsweisendes Beispiel ist Deep-Q-Network (DQN), das immer wieder aus Erfahrungen lernt. Indem diese Netzwerke aktuelle Situationen mit Ereignissen in ihrem Speicher abgleichen, können sie den Eingaben im Lauf der Zeit Aktionen zuordnen, die zu Belohnungen führen. Durch diese Art der Generalisierung wird die KI flexibler. Ein weiterer Algorithmus nach dem Vorbild des Gehirns ist der differenzierbare neuronale Computer (DNC), der ein **Arbeitsgedächtnis** imitiert, das den DNC über mehrstufige Probleme »nachdenken« lässt. Künftig könnten Algorithmen mit Speichermodulen KI-Fahrern helfen, komplexe Straßensituationen hervorragend zu meistern.

All diese Technologien des maschinellen Lernens informieren das KI-Auto in Vorbereitung auf den sechsten und letzten Schritt, nämlich die Ausführung der richtigen Aktion: beschleunigen, bremsen oder lenken. Die Erforschung selbstfahrender Autos schreitet voran. Am MIT lernen derzeit Lidar-Sensoren, die Beschaffenheit der Umgebung so genau zu prüfen, dass sie die Ränder von unbefestigten Straßen erkennen, damit autonome Fahrzeuge auch auf dem Land eingesetzt werden können. Andere lassen KI-Fahrzeuge in Virtual-Reality-Umgebungen fahren. Die Kartensimulationen ersparen den ersten Schritt – das Erzeugen hochwertiger 3-D-Karten – und ermöglichen außerdem die »Erfahrung« seltener, aber potenziell tödlicher Fahrereignisse.

Das **Arbeitsgedächtnis** ist ein kognitives System mit begrenzter Speicherkapazität, das es Menschen ermöglicht, während eines Entscheidungsprozesses zeitweilig Informationen im Gehirn zwischenzuspeichern.

A Stark eingeschränkte Spielumgebungen, wie das hier abgebildete Breakout, sind ein idealer Trainingsort für bestärkendes Lernen. Für jede Aktion kann es eine Belohnung geben, z. B. einen Spielpunkt, den der Forscher beobachten kann. Dank des maschinellen Lernens erleben Atari-Spiele derzeit ein Comeback.

B Das GQN »betrachtet« eine Szene, um andere Perspektiven von ihr zu extrapolieren. Der Algorithmus kann z. B. Abbilder einer Karte aus drei gegebenen Blickwinkeln erstellen. Das Netzwerk kann Unsicherheit in den Annahmen darstellen, messen und reduzieren und so eine Art »Vertrauen in sein Urteil« gewinnen.

Im Juni 2018 brachte DeepMind das GQN (Generative Query Network), heraus, das anhand zusammenhängender 2-D-Bilder eine 3-D-Szene erstellen kann. Das GQN kann auch neue Ansichten der Szene vorhersagen. GQN und ähnliche Ansätze stecken zwar erst in den Kinderschuhen, aber sie könnten eine weitere Navigationsmöglichkeit für KI-Fahrer bieten. Der Algorithmus kann z. B. die KI mit einer Kreuzung vertraut machen, wenn das Auto in einem ungewöhnlichen Winkel darauf zufährt.

Aufgrund des starken Interesses von Wissenschaft und Wirtschaft entwickelt sich die Branche des autonomen Fahrens sehr schnell: In den USA hat das Kraftfahrzeugamt bereits über 50 Unternehmen die Genehmigung zum Test solcher Fahrzeuge erteilt, darunter jüngere Unternehmen wie Waymo, Uber und Tesla ebenso wie alteingesessene Automobilriesen wie Nissan, BMW, Honda und Ford.

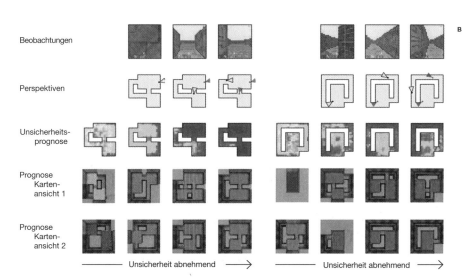

Beobachtungen

Perspektiven

Unsicherheitsprognose

Prognose Kartenansicht 1

Prognose Kartenansicht 2

Unsicherheit abnehmend ⟶   Unsicherheit abnehmend ⟶

Der wirtschaftliche Vorteil des Ersten, der autonome Fahrzeuge auf die Straße bringt, spornt die Entwickler an.

Laut einer Intel-Studie verfügen selbstfahrende Autos über ein enormes wirtschaftliches Potenzial: Intels Prognose lautet, dass das autonome Fahren bereits um das Jahr 2035 Einnahmen von 800 Mrd. US-Dollar jährlich erzeugen wird, die bis 2050 auf 7 Bio. US-Dollar steigen werden. Der Bericht bezeichnet den neuen Markt als »Passagier-Wirtschaft«: Sie umfasst den Wert von Dienstleistungen und Waren aus der Nutzung selbstfahrender Autos sowie immaterielle Ersparnisse an Zeit und Ressourcen.

Der wirtschaftliche Anreiz dürfte für autonome Lastkraftwagen sogar noch größer sein. Selbstfahrende Lkw können ihre Bewegungen in einem Konvoi auf langen Straßenabschnitten koordinieren, was den Luftwiderstand reduziert. Anders als menschliche Fahrer werden KIs nie müde oder weniger aufmerksam. Anfang 2018 verkündete die US-amerikanische Firma Embark, dass ihr selbstfahrender Lkw eine mehr als 3860 km lange Fahrt quer durch die USA sicher absolviert hatte und dabei von einem menschlichen Fahrer überwacht worden war. Würde die Behörde die Freigabe erteilen, so könnte der Laster eine Lieferung von der Ost- zur Westküste in nur zwei Tagen erledigen. Ein Mensch braucht dazu vier bis fünf Tage. Der wirtschaftliche Nutzen ist so vielversprechend, dass Waymo, Tesla und Uber ins Speditionsgeschäft eingestiegen sind: Tesla brachte 2018 den ersten KI-gesteuerten E-Lkw auf den Markt. In zehn Jahren sind autonome Lkw vielleicht so weit, dass sie die Branche übernehmen können.

A

A Das EU-finanzierte Projekt ENSEMBLE (ab 2018) will mehrere Lkw-Marken in einem Konvoi durch Europa fahren lassen. So sollen Kraftstoff gespart, CO_2-Emissionen reduziert und die Sicherheit erhöht werden.
B Die Automatisierung von Verladeterminals ist in vollem Gang. Im Hafen von Los Angeles stapelt und befördert AutoStrad die Container. Es bringt längere Servicezeiten und mehr Sicherheit für die Mitarbeiter.

B

Im Gegensatz zu anfänglichen Prognosen wirkt sich KI nicht nur auf einfache
Tätigkeiten aus; KI-Anwendungen halten rasant in einem unerwarteten Gebiet
Einzug: im Gesundheitswesen. Die Auswirkungen sind in der Pharmaindustrie,
in Arztpraxen und Krankenhäusern, in
der Chirurgie sowie in der medizinischen Diagnostik bereits spürbar.

Dank der rasanten Zunahme von
Big Data in der Medizin, gepaart
mit ausgeklügelten KI-Algorithmen,
können Pharmaunternehmen Wirk-
stoffdatenbanken nach vielverspre-
chenden neuen Kandidaten durchsuchen. Der IBM-Supercomputer
Watson arbeitet zusammen mit
Pharmariesen wie Merck, Novartis
und Pfizer daran, schneller neue
Wirkstoffe zu entdecken, klinische
Tests zu planen und zu analysieren
und die Sicherheit und Wirksamkeit
von Medikamenten vorherzusagen.

Big Data bezieht sich
auf extrem große und
komplexe Datensätze,
die von Computern
analysiert werden, um
Muster, Trends und Ver-
bindungen aufzuzeigen.
Damit können neue
Erkenntnisse gewon-
nen und Vorhersagen
gemacht werden.

Eine beliebte KI-basierte Methode beruht in diesem Bereich auf evolutionären Algorithmen. Ähnlich wie künstliche neuronale Netze sind evolutionäre Algorithmen von der Natur inspiriert – in diesem Fall von der natürlichen Auslese. KI-Forscher beginnen mit einer Anfangspopulation an Algorithmen und wählen daraus diejenigen aus, die eine neue Molekularstruktur für ein Medikament am besten generieren. Diese werden leicht verändert oder Teile ihres Codes miteinander vermischt, um die nächste Generation an Algorithmen zu erzeugen. Theoretisch sollten die besten Programme nach vielen Generationen in der letzten Population in der Lage sein, hervorragende wirkstoffähnliche Moleküle hervorzubringen.

Evolutionäre Algorithmen erlauben Forschern, die Eigenschaften von Molekülen nachzubilden. Sie liefern zudem neue Molekularstrukturen und bestimmen, ob diese Strukturen innerhalb eines Medikaments sinnvoll sind. Heute setzen die meisten großen Pharmaunternehmen genetische Algorithmen zur Wirkstoffentdeckung ein. Außerdem ist die Bayessche Statistik, die bereits bei den Empfehlungssystemen beschrieben wurde, besonders nützlich zur Vorhersage von chemischen Strukturen für verschiedene Wirkstoffarten und Mehrfachresistenzen.

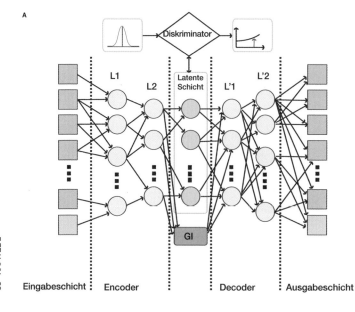

A

A Der Deep-Learning-Algorithmus Generative Adversarial Autoencoder kann molekulare »Fingerabdrücke« von Molekülen mit Anti-Krebs-Eigenschaften bei bestimmten Konzentrationen erzeugen. Die Kandidaten werden von einem »Diskriminator« gewogen, der ihre Authentizität bewertet.
B Dieses Kunstwerk wurde von einem evolutionären Algorithmus erzeugt. Generierte Kunst wird in mehreren Schritten ausgewählt und wieder verändert, bevor das Endprodukt ausgewählt wird.

Als **Mehrfachresistenz** wird die Fähigkeit pathogener Mikroben bezeichnet, Resistenzen gegen mehrere antimikrobielle Medikamente zu entwickeln. MRSA (Methicillin-resistenter Staphylococcus aureus) und multiresistente Tuberkulose sind z. B. zwei Organismen, die gegen mehrere antimikrobielle Medikamente resistent sind.

Suki ist ein digitaler Assistent für Ärzte. Er hilft bei der Verwaltung elektronischer Patientenakten und übernimmt viele Verwaltungsaufgaben. Suki wurde von einem Start-up in Kalifornien (USA) entwickelt.

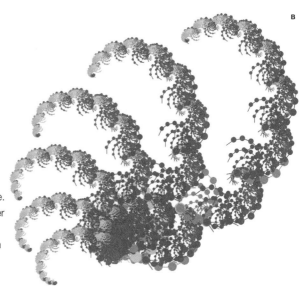

B

Im klinischen Alltag greift eine neue Generation technikaffiner Ärzte regelmäßig auf spezialisierte, KI-basierte Anwendungen zurück. Aufgrund steigender Arbeitsbelastung sind Ärzte für jede Hilfe dankbar, was Möglichkeiten zur Integration von KI in den Praxisalltag eröffnet.

Da der Umfang an wissenschaftlicher Literatur rapide steigt, könnten automatisierte Systeme erstens mithilfe von Textverarbeitung alle veröffentlichten Berichte nach neuem medizinischen Wissen durchsuchen und dieses dann den Ärzten in Form von einfachen Memos präsentieren. IBM Watson und Semantic Scholar werden derzeit für diese Fähigkeit entwickelt. Die Systeme lesen mithilfe natürlicher Sprachverarbeitung Millionen von wissenschaftlichen Arbeiten, klassifizieren die Erkenntnisse und suchen dabei nach bisher übersehenen Verbindungen und Informationen. Zweitens könnten KI-basierte Assistenten den Ärzten Verwaltungsarbeit abnehmen, z. B. das Führen von Patientenakten. Mitte 2018 trieb die Firma **Suki** Millionen auf, um ihren sprachunterstützten digitalen KI-Praxisassistenten weiterzuentwickeln. In zwölf Pilotversuchen in den USA zeigen vorläufige Daten, dass KI den Verwaltungsaufwand der Ärzte um 60 Prozent reduziert. Wie auch andere Technologien des maschinellen Lernens wird Suki mit der Datenmenge, die er im Laufe der Zeit erfasst, an Genauigkeit gewinnen.

A Der sprechende Roboter Reeti am Inserm kommuniziert mit eindeutig erkennbaren Gesichtsausdrücken und einfacher Sprache, ohne Langeweile oder Frustration zu zeigen. Forschungen über die Interaktion Mensch/Roboter zeigen, dass sich damit die Kommunikation autistischer Kinder verbessern lässt.

B Es ist keine Seltenheit mehr, wenn im Operationssaal das Da-Vinci-Operationssystem eingesetzt wird. Weltweit war das System mittlerweile mehr als drei Millionen Mal im Einsatz.

Fortschritte in der Robotik, einem wichtigen Teilbereich der KI, haben zu einem Boom im Bereich der Operationsroboter geführt. 2000 brachte Intuitive Surgical das Da-Vinci-Operationssystem auf den Markt, eine neuartige KI-Technologie, die minimal-invasive Herz-Bypass-Operationen unterstützt. Das System übersetzt die Handbewegungen des Chirurgen in kleine, präzise Aktionen der Roboterarme. Heute unterstützt es bereits zahlreiche chirurgische Eingriffe.

Den größten Einfluss dürfte KI aber wohl in der medizinischen Diagnostik haben.

2017 belegte eine Studie in der angesehenen Fachzeitschrift *Nature,* dass ein künstliches neuronales Netz durch Biopsie nachgewiesenen Hautkrebs erkennen konnte. Der Algorithmus diagnostizierte gleich gut oder besser als anerkannte Hautärzte.

In manchen Tests war er präziser als die Mediziner, da die KI weniger häufig einen tödlichen Hautkrebs übersah oder einen nicht vorhandenen Krebs diagnostizierte. Vor Kurzem präsentierten andere Teams KI-Systeme, die anhand von gescannten Bildern der Netzhaut das Risiko von Augen- und Herz-Kreislauf-Erkrankungen vorhersagen. Algorithmen können anhand von Mammografien auch Brustkrebs diagnostizieren, und automatische Systeme erkennen Lungenentzündungen, Herzrhythmusstörungen und einige Knochenbrüche ebenso gut oder besser als Mediziner.

B

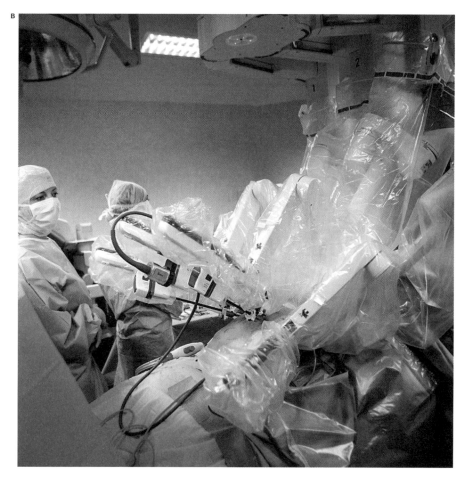

Der Fortschritt der KI in der medizinischen Diagnostik ist so vielversprechend, dass der britische KI-Forscher Geoffrey Hinton (*1947) kürzlich meinte, künftig sollten gar keine Radiologen mehr ausgebildet werden. Andere sind immerhin der Ansicht, dass KI in unterversorgten Gegenden die medizinische Versorgung verbessern könnte, indem sie die menschlichen Radiologen unterstützt.

Experimentell wird KI schließlich noch in Form von intelligenten Prothesen eingesetzt. Mithilfe von Deep-Learning-Methoden entwickeln Wissenschaftler neue, bionische Arm- und Handprothesen, die auf Gehirnströme reagieren, sodass sie mental bewegt werden können. Unternehmen wie Aipoly und EyeSense arbeiten an neuronalen Netzen, die sehbehinderten Menschen beim Erfassen ihres Umfelds helfen. Die Anwendungen laufen auf Smartphones und beschreiben die Objekte, die sie in der direkten Umgebung sehen.

Der Einfluss der KI auf die Gesellschaft und ihre Anwendungen sind riesengroß.

A

A   Das HAPTIX-Programm der DARPA entwickelt Handprothesen, die auf Berührung reagieren. Durch elektrische Stimulierung ausgewählter Nerven erzeugt das System realistische Empfindungen, die von der fehlenden Hand zu kommen scheinen.
B   Maschinelles Lernen treibt die Entwicklung intelligenter Armprothesen voran, die direkt vom Gehirn gesteuert werden. Die Algorithmen lesen Muster von Gehirnströmen und analysieren die Bewegungsabsicht ohne bewusste Eingabe.
C   Der ComfortFlex-Anschluss verwendet »intelligentes Plastik«, um sich die Form des vorhandenen Körperteils zu »merken«.

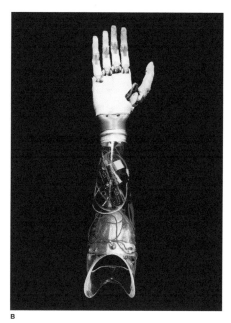

B

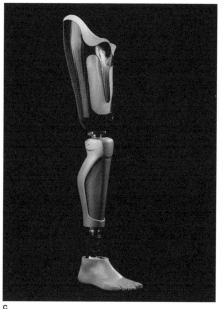

C

Neben den hier beschriebenen Bereichen
sagt die »One Hundred Year Study on
Artificial Intelligence« (kurz »AI100«)
voraus, dass KI im Lauf der nächsten zwei
Jahrzehnte die Logistik, das Erziehungs-
wesen, die öffentliche Sicherheit sowie
Serviceroboter stark beeinflussen wird.
Je stärker die Technologie wächst, desto
weiter werden KI-Systeme in die Gesellschaft und Industriezweige eindringen.
Damit KI ihr Potenzial voll entfalten kann,
müssten die Ergebnisse jedoch genau
und nachvollziehbar sein.

Momentan hindern
einige wichtige Hürden
die heutige KI noch
daran, ihr revolutionäres
Versprechen einzulösen.

3. Grenzen und Probleme der KI heute

A

A Gesichtserkennungs-
   algorithmen von
   Gfycat erkennen die
   Mitglieder der K-Pop-
   gruppe Twice. Frühere
   Versionen konnten
   keine asiatischen Ge-
   sichter identifizieren.
   Rassendiskriminierung
   in der KI gilt als großes
   Problem.
B Dieses Twitter-Icon
   zeigt Tay, den Chatbot
   von Microsoft, der
   seine Kommunika-
   tionsfähigkeit durch
   maschinelles Lernen
   erwarb. Innerhalb
   eines Tages wurde er
   aufgrund der beleidi-
   genden Inhalte im Netz
   zu einem Rassisten
   und Sexisten.

Trotz der schnellen Verbreitung von KI-basierten Anwendungen im Alltag sind die Technologien noch lange nicht perfekt.

Einige Beschränkungen liegen in den KI-Algorithmen selbst begründet. So generieren heutige KI-Systeme häufig fehlerhafte Ergebnisse, können aber ihren Entscheidungsprozess nicht erklären. Daher können sie auch keine Verantwortung für Fehler übernehmen. Problematisch ist auch, dass sie gesellschaftliche Vorurteile oder Fehlverhalten von Regierungen widerspiegeln und verstärken, z. B. Geschlechter- oder Rassendiskriminierung, Online-Beeinflussung von Wählerverhalten oder heimliche Überwachung der Bevölkerung. All dies vollzieht sich oft sogar weitgehend unbemerkt. Andere Probleme mit KI-Systemen sind eher technischer Natur, etwa ihre Unfähigkeit, Gelerntes auf neue Situationen anzuwenden oder neue Probleme mit begrenzten Beispielen zu erlernen.

Ein trauriges Beispiel für einen fehlerhaften Algorithmus war 2016 der tödliche Unfall eines halbautonomen Tesla. Während das Fahrzeug im **Autopilot**-Modus fuhr, hielt es einen weißen Sattelschlepperanhänger für den hellen Himmel und fuhr ungebremst dagegen. Im März 2018 überfuhr und tötete ein Roboterauto von Uber in Tempe (Arizona, USA) eine Fußgängerin. Untersuchungen ergaben später, dass das KI-System die Frau erkannt hatte, aber die Algorithmen fälschlicherweise entschieden, dass sie dem Fahrzeug nicht im Weg war. Kurz darauf wurde ein Fahrzeug von Waymo im autonomen Modus von einem manuell gesteuerten Fahrzeug angefahren, was die Frage aufwirft, wie sich KI-Fahrer so programmieren lassen, dass sie die Straße mit menschlichen Fahrern teilen können. Einige Monate später steuerte ein Tesla Model S in eine Betonmauer, wobei zwei der Insassen getötet wurden.

Trotz dieser tragischen Unfälle sind die statistischen Daten zur Sicherheit selbstfahrender Autos beeindruckend. Waymo-Autos waren z. B. in etwa 30 kleinere Unfälle verwickelt, verursachten aber nur einen. 2016 wechselte ein Waymo die Fahrspur und kollidierte im Selbstfahrmodus mit einem Bus, was zu kleinen Schäden am Auto führte. Laut einer Intel-Studie von 2017 könnte die Einführung selbstfahrender Autos in nur zehn Jahren 500 000 Menschenleben retten.

Ein **Autopilot** ist ein selbstfahrendes System für halbautonome Fahrzeuge. Der menschliche Fahrer muss dabei aufmerksam bleiben und sich auf die Verkehrsbedingungen konzentrieren.

B

Dennoch ist das öffentliche Vertrauen in KI-Autos so gering wie nie. Eine Studie des Pew Research Center von 2017 ergab, dass mehr als die Hälfte der Befragten nur ungern in autonomen Autos fahren würden. Als Gründe gaben sie vor allem Sicherheit und fehlende Kontrolle an. Nach dem tödlichen Unfall mit einem Uber-Auto im März 2018 sagten 73 Prozent der US-Amerikaner in einer Umfrage, sie hätten Angst, in autonomen Autos zu fahren. Ende 2017 waren es noch 10 Prozent weniger.

A

Die unabhängige US-ameri-
kanische Organisation **Pew
Research Center** stellt Informationen zu gesellschaftlichen
Themen und Meinungstrends in
den USA und anderen Ländern
bereit.

Eine **autonome Drohne** ist
ein unbemanntes Fluggerät.
Autonome Drohnen haben ein
gewisses Grundwissen über
die höheren Absichten und Ziel-
vorgaben eines menschlichen
Bedieners.

B

C

Die Bedenken resultieren auch aus der mangelnden Kenntnis der Zusammenhänge zwischen maschinellem Lernen und KI. Für die Öffentlichkeit ist
KI Zauberei: Manche Algorithmen führen oft zu richtigen Antworten, aber
bei einem Fehler, z. B. wenn Siri auf eine Frage eine unsinnige Antwort gibt,
versteht der Nutzer die Ursache nicht. Auch wenn Netflix das Geschmacks-
profil eines Kunden falsch beurteilt oder ein selbstfahrendes Auto auf einem
Fahrradweg parkt, erfahren die Nutzer nicht, wie der Fehler zustande kam.

Noch problematischer ist es bei Waffen,
wenn es um Leben und Tod geht. Das
US-Militär will lernende Maschinen in riesigen Mengen von Überwachungsdaten
Muster analysieren oder auch autonome
Drohnen steuern lassen. Algorithmen,
die hier versagen, ihre Fehler aber nicht
erklären können, können hier katastrophale Folgen haben.

Der Vertrauensverlust erstreckt sich auch auf den Medizinbereich. Obwohl KI-Radiologen vielversprechend sind, bleibt man im Gesundheitswesen gegenüber der KI-Diagnostik skeptisch. Bei den meisten KI-Werkzeugen müssten noch viele unabhängige Forschungsgruppen bestätigen, dass sie bei durchweg allen Patientenproben einwandfrei funktionieren. Aber wie bei Siri, selbstfahrenden Autos und autonomen Waffen wiegt noch schwerer, dass KI-Systeme noch immer nicht ihre – richtigen oder falschen – Entscheidungen erklären können – nicht einmal ihren Programmierern. Das Problem ist so schwerwiegend, dass KI-Algorithmen häufig als »Black-Box-Systeme« bezeichnet werden.

Bei einem **Black-Box-System**, das in Wissenschaft und Technik eingesetzt wird, lassen sich nur Eingabe und Ausgabe beobachten. Die internen Abläufe sind unbekannt und können nicht untersucht werden.

A   Der MemNet-Algorithmus erzeugt eine Heatmap der einprägsamsten Bereiche auf einem Foto. Winzige Änderungen können dann die Einprägsamkeit des Bildes verändern.
B   Der LIME-Algorithmus erklärt die Vorhersagen von Klassifizierungsalgorithmen. Hier wird eine Katze von einem Hund unterschieden. LIME markiert die für die Entscheidung verwendeten Bereiche.

B

Mangelnde Transparenz ist ein Riesenproblem für KI-Algorithmen und ein wesentlicher Grund für das fehlende öffentliche Vertrauen in KI-Systeme.

Die Undurchsichtigkeit des maschinellen Lernens liegt zum Teil auch am Training der Algorithmen. Die meisten Anwendungen beruhen heute auf Deep Learning, der künstlichen neuronalen Netzstruktur, die dem menschlichen Gehirn nachempfunden ist. Am einen Ende jedes neuronalen Netzes steht eine Unmenge an Daten, z. B. Millionen Hundefotos. Auf dem Weg der Daten durch die Schichten des neuronalen Netzes extrahiert jede Schicht immer abstraktere Merkmale, bis die Ausgabeschicht das richtige Ergebnis liefert (z. B. den Spitz vom Pudel unterscheidet). Da der Prozess innerhalb des Netzes abläuft, können Forscher aber nicht jede Abstraktion erklären und auch nicht, warum das Netzwerk bestimmte Merkmale extrahiert.

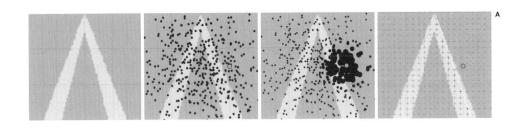

Zweifelsohne kann maschinelles Lernen ganze Industrien umwandeln: Der Mensch wird optimiert oder in einigen Fällen ersetzt. Dies sollte allerdings erst der Fall sein, wenn wir Möglichkeiten gefunden haben, Algorithmen verständlicher zu machen, sodass wir auch die Ursache von Fehlern erkennen.

Jüngere Studien zeigen immerhin, dass das Black-Box-System des maschinellen Lernens nicht völlig undurchsichtig ist. So werden bereits neue Tools erfunden, die das maschinell lernende, künstliche Gehirn untersuchen – ein Ableger dieser Fachrichtung ist die **KI-Neurowissenschaft**. Man will z. B. Eingaben in einen Algorithmus minimal verändern und beobachten, ob und wie sich diese Änderungen jeweils auf die Ausgabe auswirken. Das als **Local Interpretable Model-Agnostic Explanations (LIME)** bekannte Tool verändert die Originaleingabe so, dass es die wichtigsten Faktoren aufspürt, die das Urteil der KI beeinflussen. Um die Einflussfaktoren auf eine KI zu verstehen, die Filmbewertungen abgibt, kann ein LIME einzelne Wörter in einer Filmkritik löschen oder umstellen, die ursprünglich eine positive Kritik ergaben. Das System beobachtet dann, ob und wie sich die Bewertung ändert. Nach zahlreichen Wiederholungen dieses Prozesses findet LIME dann z. B. heraus, dass das Wort »Marvel« fast immer mit guten Kritiken korreliert.

A   LIME-Algorithmus in Aktion: Ein Klassifizierungsalgorithmus kategorisiert die Daten, dann tastet LIME Daten mit »Durchschnittsmerkmalen« (schwarz) ab und ändert diese Merkmale lokal rund um einen Punkt (grün), um zu beobachten, ob und wie sich die Entscheidung ändert.

B   Einblicke in strukturelle (links) und funktionale (Mitte) Konnektivitätsmuster im menschlichen Gehirn lassen wichtige Verbindungspunkte (rechts) erkennen, die mehrere Hirnregionen miteinander verknüpfen.

Die **KI-Neurowissenschaft** ist eine neue Disziplin, die die internen Abläufe von Deep-Learning-Systemen untersucht. Sie hat sich zum Ziel gesetzt, die interne Funktionsweise von tiefen neuronalen Netzen zu erklären sowie zu verstehen, warum sie gut funktionieren und wann sie ausfallen.

Der 2016 entwickelte Algorithmus **Local Interpretable Model-Agnostic Explanations (LIME)** versucht, die Entscheidungen von Deep-Learning-Netzwerken nachzuvollziehen. LIME hilft Forschern zu verstehen, wie tiefe neuronale Netze Prognosen erstellen, indem er Ursprungsdaten leicht verändert und dann das Ergebnis beobachtet.

Ein Ableger dieser von Google entwickelten Methode ist die Verwendung einer leeren Referenz als Ausgangspunkt: etwa eines schwarzes Bildes, das dann schrittweise in die Eingabebilder umgewandelt wird. Mit jedem Schritt können Forscher die KI-generierten Bildergebnisse beobachten und erschließen, welche Merkmale für die KI-Entscheidung wichtig sind.

Ein anderer Ansatz beruht auf einem Algorithmus, der im Grunde wie ein Maschine/Mensch-Übersetzer fungiert. Dieser Algorithmus kann dem menschlichen Beobachter erklären, was die jeweilige KI gerade machen will. OpenAI setzt diese Strategie zur Befragung von KI-Algorithmen ein, die vor Hackerangriffen schützen sollen. Ein zweiter Algorithmus, der natürliche Sprache verarbeitet, dient als Übersetzer. Der Übersetzer wird eingesetzt, um die Intelligenz des Hackerblockade-Algorithmus und den Sinn seiner Aktionen zu hinterfragen. Ein Forscher beobachtet die Frage/Antwort-Sitzung und erkennt so mithilfe des Übersetzers die Logik hinter den Entscheidungen des Algorithmus.

B

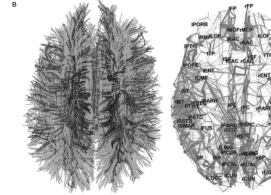
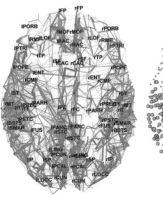
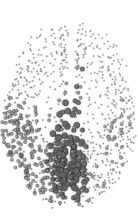

Natürlich ist es möglich, dass einige KI-Entscheidungen nicht vollständig erklärbar sind. Menschliche Entscheidungen enthalten sehr oft Eingebungen, die von Instinkt und Erfahrung geleitet werden. Das Problem für Forscher ist, inwieweit sie ihre »Schöpfungen« dazu bringen können, sich rational selbst zu erklären.

A Das IBM Q Computation Center ist das erste, in dem Quantencomputer für die öffentliche Nutzung gebaut werden. Unternehmen und Wissenschaftler können mithilfe von Qiskit, einem modularen Open-Source-Programmierungsnetzwerk, auf den Rechner zugreifen.

B Das Felix Project am Johns-Hopkins-Lehrkrankenhaus in Baltimore arbeitet an der Entwicklung eines Algorithmus zur Erkennung von Pankreas-Karzinomen in einem frühen, behandelbaren Stadium. Am Anfang stand eine grundlegende Funktionalität: Ein Algorithmus (siehe Bild) lernte, unter den verschiedenen Organen die Bauchspeicheldrüse zu erkennen.

Da Banken und Arbeitgeber immer stärker Gebrauch von Deep-Learning-Techniken machen, wenn es um die Vergabe von Krediten oder Arbeitsplätzen geht, wird es immer dringlicher, das maschinelle Lernen zu entzaubern. Mittlerweile wird sogar diskutiert, dass es grundsätzlich ein Recht darauf geben müsse, die Schlussfolgerungen von Algorithmen nachvollziehen zu können. 2018 kündigte der französische Präsident Emmanuel Macron an, dass seine Regierung alle ihre Algorithmen öffentlich zugänglich machen würde. In einer Leitlinie vom Juni 2018 forderte Großbritannien Wissenschaftler und Experten für maschinelles Lernen, die im öffentlichen Bereich arbeiten, zu Transparenz und Verantwortung auf. Ab Mitte 2018 traten in der EU außerdem Gesetze in Kraft, die Unternehmen dazu verpflichten, Nutzern die Entscheidungen ihrer automatisierten Systeme zu erklären.

A

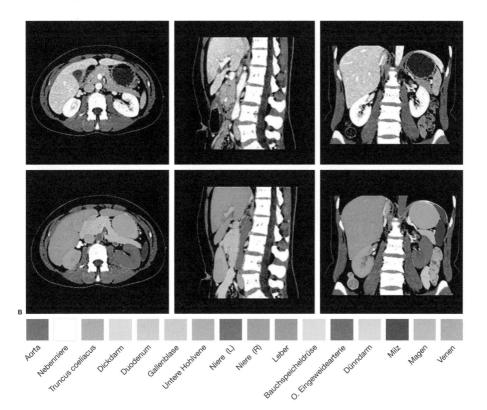

B

Aorta · Nebenniere · Truncus coeliacus · Dickdarm · Duodenum · Gallenblase · Untere Hohlvene · Niere (L) · Niere (R) · Leber · Bauchspeicheldrüse · O. Eingeweidearterie · Dünndarm · Milz · Magen · Venen

Das Gesetz ist zwar derzeit technisch nicht durch-
setzbar, aber es ist ein früher Versuch, eine der
gefährlichen Folgen unergründlicher automatisierter
Entscheidungen einzudämmen: die Verzerrung. Um
zu verstehen, wie es dazu kommen kann, ist die
Betrachtung des hypothetischen Falls einer Krebsdiagnose sinnvoll. Wenn z. B. für das anfängliche
KI-Training Röntgenaufnahmen von Lungentumoren
verwendet werden, die von Hand mit einem gelben
Punkt markiert wurden, wird der Algorithmus später
»gelb« mit »Krebs« assoziieren. Eine KI ist also nur
so gut wie ihre Trainingsdaten. Sind bereits die ersten Trainingsbeispiele falsch, wird der Algorithmus
diese Verzerrung übernehmen – dies nennt man in
der Informatik »Garbage in, Garbage out«. Dieses
Beispiel betrifft einen leicht erkennbaren Fehler, aber
ähnliche Szenarien – eine Veränderung der Hellig-
keit oder des Betrachtungswinkels in den Trainingsdaten – könnten den Algorithmus ebenso fehlleiten.

A   Ein Beispiel für Rassismus in Gesichtserkennungssoftware lieferte die Forscherin Joy Buolamwini. Ein Algorithmus nahm ihr Gesicht besser wahr, wenn sie eine weiße Maske trug.

B   Risikobewertungssoftware, die die Wahrscheinlichkeit von Rückfällen vorhersagt, wird oft bei Gericht zur Festlegung von Kautionen oder zur Empfehlung von Bewährungsstrafen eingesetzt. Hier kommt es vor, dass Menschen mit ähnlichen Vergehen je nach Hautfarbe verschieden bewertet werden.

A

Ein Algorithmus, der ständig unsinnige Entscheidungen fällt, muss nicht gefährlich sein, da solche Fehler leicht festgestellt und bereinigt werden können. Sehr viel bedenklicher ist es allerdings, wenn KI-Algorithmen subtil, aber systematisch bestimmte Bevölkerungsgruppen aufgrund von Rasse, Geschlecht oder Ideologie diskriminieren.

Die erste Generation von Googles automatischem Fotomarkierungssystem sorgte bekanntlich für einen Aufschrei, als Menschen afrikanischer Herkunft in einigen Fällen als Gorillas identifiziert wurden. 2016 ergab eine Untersuchung von ProPublica, dass COMPAS, eine Risikobewertungssoftware zur Prognose der Rückfallwahrscheinlichkeit von Straftätern, Personen mit schwarzer Hautfarbe benachteiligte, obwohl sie nicht explizit auf ethnische Zugehörigkeit programmiert worden war. 2017 zeigte eine Studie, dass Algorithmen auch bei Wortassoziationen voreingenommen waren: Männer wurden eher mit Arbeit, Mathematik und Technik assoziiert, Frauen dagegen eher mit Familie und Kunst. Diese Vorurteile haben bei Bewerbungen direkte Auswirkungen. Prüft z. B. für eine IT-Stelle eine KI die Lebensläufe, die inhärent »Mann« mit »Programmierer« assoziiert, setzt sie zuerst Lebensläufe mit männlich klingenden Vornamen auf die Liste der einzuladenden Bewerber. Auch bei Übersetzungssoftware ist die Tendenz eindeutig. Google Translate übersetzt z. B. genderneutrale Pronomen aus unterschiedlichen Sprachen mit »er«, wenn es im Kontext um Ärzte geht, und mit »sie«, wenn es um Pflegepersonal geht. Spracherkennungssoftware ist weniger effektiv für Frauen oder für Dialektsprecher, die Nicht-Standard-Varianten ihrer Sprache verwenden.

Andere Algorithmen verzerren vielleicht bereits die Gesundheitsversorgung oder Versicherungstarife, verändern die Behandlung von Menschen im Strafvollzug oder sagen vorher, in welchen Familien eher eine Kindesmisshandlung vorliegen könnte. Verzerrung und Ungerechtigkeit untergraben das Vertrauen zwischen Menschen und KI-Systemen. Statt – wie anfangs vorhergesagt – alle gleich zu behandeln, ist KI vielleicht auch nicht besser, wenn es darum geht, lebenswichtige Entscheidungen aus neutraler Sicht zu treffen. Warum sollte also die Gesellschaft Maschinen als »gerechteren« Ersatz für Banker, Personalchefs, Polizisten oder Richter akzeptieren?

Das **automatische Fotomarkierungssystem** ist eine von Google entwickelte Funktion, die mithilfe von KI automatisch Gesichter und andere Objekte in Bildern erkennt und jedes Merkmal mit Schlagwörtern markiert.

Die kommerzielle KI-Software **COMPAS** (Correctional Offender Management Profiling for Alternative Sanctions) der Firma Northpointe sagt das Rückfallrisiko einer bestimmten Person vorher.

B

3 Geringes Risiko   3 Geringes Risiko   3 Geringes Risiko

6 Mittleres Risiko   8 Hohes Risiko   10 Hohes Risiko

Der Grund für Verzerrungen sind in der Regel nicht die nackten Statistiken, die lernende Algorithmen befeuern. Die KI nimmt während des Lernprozesses die Vorurteile auf, die in den Trainingsdaten stecken und die von der Gesellschaft generiert werden. Algorithmen spiegeln also die Haltungen ihrer Schöpfer wider, und das geht manchmal so weit, dass sie unsere Vorurteile bestätigen oder verstärken. **Filterblasen** sind ein gutes Beispiel: Facebooks Nachrichtenalgorithmus, der auf **virale Posts** ausgerichtet war – völlig unabhängig von ihrem Wahrheitsgehalt –, hatte starken Einfluss auf die öffentliche Wahrnehmung gesellschaftlicher Ereignisse und wichtiger Nachrichtenmeldungen. Das KI-System belastete so das soziale Gefüge und trug zur weiteren politischen Polarisierung bei. Die Empörung war so groß, dass Mark Zuckerberg sich verpflichtete, den Algorithmus grundlegend zu ändern, um in Zukunft einen intensiveren, sinnvolleren Austausch zu ermöglichen.

Cambridge Analytica setzte im US-Präsidentschaftswahlkampf 2015 und bei der Leave.UK-Kampagne KI-Algorithmen ein, die unentschlossene Wählergruppen beeinflussen sollten. Diese Einmischung beeinflusst nun womöglich die Demokratie und den Verlauf der Geschichte. Wenn immer mehr Daten über Nutzerpräferenzen aufgezeichnet und analysiert

A

Eine **Filterblase** ist ein Zustand intellektueller Isolation auf Online-Plattformen, die vorhersagen, was ein Nutzer sehen möchte, und die dann nur entsprechende Inhalte liefern.

Virale Posts sind Text- und Multimedia-Inhalte, die über Website-Links, Social Media und andere digitale Wege rasch und weit verbreitet werden. Auch als virale Inhalte bekannt.

A   Präsident Trump machte sich den *Game of Thrones*-Slogan »Winter is Coming« zu eigen, indem er dieselbe Schriftart nutzte, um seine persönliche Ankündigung von beabsichtigten Sanktionen gegenüber dem Iran zu erstellen. Er twitterte das Bild dann offiziell, das sich schnell viral verbreitete und weitere Adaptionen nach sich zog.
B   Diese grafische Darstellung zeigt, wie Falschinformationen im Internet durch Bots (rot) in einer Gesellschaft (blau) verbreitet werden können.

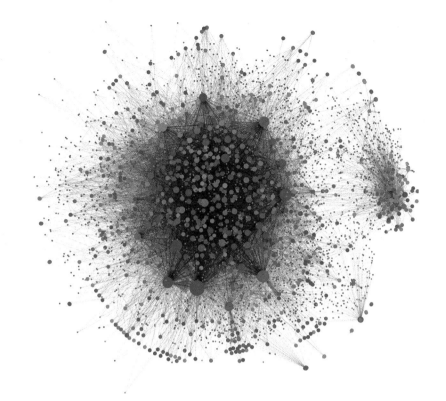

werden, können Nachrichten- und Medienprovider ihre Inhalte immer gezielter auf immer stärker fokussierte Bereiche der Gesellschaft – und sogar auf Einzelpersonen – zuschneiden. So wird der Boden bereitet für Empfehlungssysteme – und für die Gruppen, die sie kontrollieren. Sie können dann beeinflussen, welchen Ideen und Erfahrungen jede einzelne Person im Internet ausgesetzt wird.

Der Kampf zur Eindämmung von Vorurteilen und Ungerechtigkeiten in der KI geht weiter. Er wird sich noch verstärken, wenn der Einfluss von Deep-Learning-Anwendungen auf die Gesellschaft größer wird.

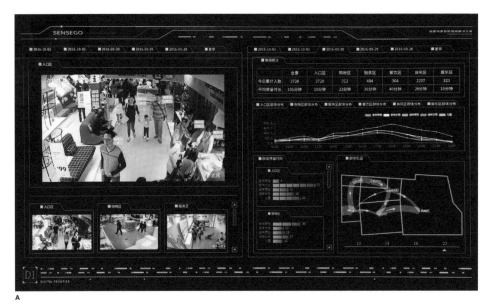

A

Momentan lassen sich Verzerrungen nicht so einfach eliminieren. Manche sprechen sich für die voll-
ständige Offenlegung der Parameter von KI-Algorithmen aus. Andere fürchten, dass diese Transparenz
ausgenutzt werden könnte. IBM experimentiert mit
KI-Systemen, die in ihren Entscheidungsprozessen
menschliche Werte anwenden, damit sie menschliche Unzulänglichkeiten aufdecken und verstehen.
Ziel ist der Aufbau von KI-Systemen mit »Sinn für
Moral«, doch dieser Ansatz ist in sich problematisch,
da die Werte der Menschen unterschiedlich sind und
»Moral« schwer zu definieren ist. Eine Überlegung
zielt auf das Crowdsourcing von Moralvorstellungen
ab: Dann würden KI-Systeme ihr Verhalten aus den
Entscheidungen von Durchschnittspersonen lernen.
Teams aus Mitgliedern mit unterschiedlicher Fachrichtung und Herkunft könnten ebenfalls geeignet
sein, Vorurteile aus den Trainingsdaten zu eliminieren.

Ende 2017 gründete die **IEEE Global Initiative for Ethical Considerations in AI and Autonomous Systems** eine Kommission »Klassische
Ethik«, die sich mit nicht-westlichen Wertesystemen wie Buddhismus
und Konfuzianismus befasste, um die Vorstellung von einer ethischen
KI weiter zu diversifizieren. Es mag selbst die Entwickler überraschen:
KI-Systeme halten der Menschheit einen Spiegel vor, der einige ihrer
besten, aber auch ihrer schlechtesten Neigungen reflektiert.

Verzerrung, Einflussnahme und Verletzung des Datenschutzes sind Beispiele dafür, wie KI-Systeme in der Gesellschaft missbraucht werden können.

A Ein SenseTime-Überwachungsmonitor registriert das Verbraucherverhalten in einem Kaufhaus in Peking. Das System überwacht mehrere Eingänge und Standorte im Laden, aktualisiert in Echtzeit die Anzahl der Besucher, die Verweildauer an einem Standort sowie die Besucherbewegungen.

B SenseTime analysiert Daten, die von Überwachungskameras an Straßen und sonstigen Standorten gesammelt werden, und erkennt bei Fußgängern Details wie Alter und Geschlecht. Die Software kann auch Fahrzeuge anhand der Farbe, der Marke und des Modells ausmachen.

In peinlichen Facebook-Posts getaggt zu werden ist noch relativ harmlos. Viel bedenklicher ist es, wenn z. B. Regierungen in autokratischen Ländern Gesichtserkennungstechnologie zur Überwachung nutzen. SenseTime, Chinas größtes KI-Unternehmen, gab kürzlich bekannt, dass die Überwachung ein Drittel des Geschäfts ausmache. SenseTime entwickelt Software, die in Überwachungsvideos automatisch bewegliche Objekte in Echtzeit erkennt und klassifiziert. Gleichzeitig werden Informationen zu jeder Person geliefert, die die Kamera einfängt: Geschlecht, Farbe der Kleidung, Kind oder Erwachsener. Sind die Daten der Person im SenseTime-System gespeichert, kann die KI auch ihre Identität anzeigen. Chinas Zentralregierung gibt große Summen aus, um bis 2030 eine KI-Industrie im Wert von 150 Mrd. US-Dollar aufzubauen. Da die Daten der 170 Mio. Überwachungskameras per KI verarbeitet werden, kann man heute schon automatisch Fehlverhalten von Fußgängern ahnden und flüchtige Straftäter identifizieren.

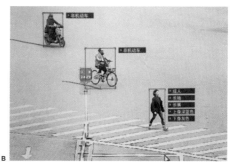

B

IEEE Global Initiative for Ethical Considerations in AI and Autonomous Systems nennt sich eine Initiative der IEEE, des weltgrößten Berufsverbands von Ingenieuren. Ihr Ziel ist es, alle an KI Beteiligten durch Aufklärung dazu zu bringen, beim Aufbau intelligenter Technologien ethische Betrachtungen vorrangig zu behandeln.

Diese Beispiele sind nur der Anfang dessen, wie weit KI-unterstützte Überwachung gehen kann. 2014 kündigte der Staatsrat der Volksrepublik China Pläne zur Einführung eines Sozialkreditsystems bis 2020 an. Das System verfolgt die täglichen Aktivitäten eines Bürgers und beurteilt anhand der Daten seine Vertrauenswürdigkeit und Regierungstreue. Alle Bürger werden öffentlich bewertet, und die erzielte Punktzahl entscheidet darüber, ob sie ein Darlehen erhalten, wo ihr Kind zur Schule gehen darf, ob sie reisen dürfen oder wie schnell sie durchs Internet surfen können. Es ist ähnlich wie das Tracking der Kundenaktivitäten bei Amazon, erinnert aber stark an George Orwell: Ein Dossier wird erstellt, das den Bürger lebenslang begleitet. Sollte ein solches System für die chinesische Regierung gut funktionieren, so werden wohl leider auch andere Länder folgen. China verkündet in seiner Erklärung, dass die Regierung eine öffentliche Umgebung schaffen will, in der es »ruhmreich« ist, Vertrauen zu bewahren. Viele andere autokratische Regierungen werden dieses Gefühl wohl teilen.

Wie stark werden Privatsphäre und Redefreiheit weiter leiden, wenn das System etabliert ist?

A

A In China sind rund 200 Mio. Überwachungskameras installiert. Mithilfe von KI lässt sich damit ein Sozialkreditsystem aufbauen, das die Bürger nach bestimmten Verhaltensweisen beurteilt. China wird also künftig von Algorithmen kontrolliert.

B Mit Hunderten von Kameras wird ständig kontrolliert, ob in den Chungking Mansions in Hongkong gefährliche oder illegale Aktivitäten stattfinden. Die Überwachung macht es fast unmöglich, die Gebäude unbemerkt zu betreten oder zu verlassen.

C Ein Drohnenüberwachungssystem, das Deep Learning mit maschinellem Sehen verbindet, kann aufgrund von Bewegungsabläufen Gewalttaten an öffentlichen Orten erkennen. Das System arbeitet in Echtzeit.

B

c

Doch nicht nur autokratische Gesellschaften nutzen KI für Über-
wachungszwecke: Vor Kurzem wurde bekannt, dass Amazon ein
Tool herausbrachte, mit dem 100 Personen auf einem einzigen Bild
erfasst werden können. Es ist bei einigen Polizeibehörden in den
USA bereits im Einsatz. Zusammen mit dem Washington County
im US-Bundesstaat Oregon hat Amazon eine mobile App erstellt,
mit der Angehörige der Strafverfolgungsbehörden Bilder scannen
und mit der Verbrecherdatenbank des Countys abgleichen können,
sodass praktisch Smartphones zu Überwachungsgeräten werden.
Am beunruhigendsten ist jedoch, dass dies alles still und leise passiert, fast ohne jede Debatte über die Verletzung von Rechten und
soziale Ungerechtigkeit, insbesondere für Randgruppen.

Die Pläne Chinas und anderer Länder zeigen,
wie notwendig es wäre, KI an ethische Grund-
sätze zu binden. OpenAI, die Forschungs-
einheit »DeepMind Ethics & Society«, die
Technologieallianz »Partnership on AI«, das
»Centre for Data Ethics and Innovation« in
Großbritannien sowie das Forschungszentrum
für KI-Ethik der Carnegie Mellon University
drängen alle darauf, dass bei der Weiterentwicklung ethische Fragen vorrangig behandelt
werden. Diese Organisationen befürchten,
dass eine unkontrollierte Entwicklung der KI
verheerende Folgen haben wird.

A

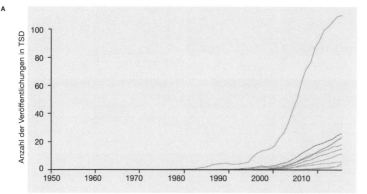

Anzahl der Veröffentlichungen in TSD

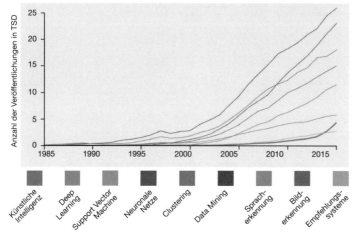

Anzahl der Veröffentlichungen in TSD

Künstliche Intelligenz · Deep Learning · Support Vector Machine · Neuronale Netze · Clustering · Data Mining · Spracherkennung · Bilderkennung · Empfehlungssysteme

A Diese Graphen zeigen einen bemerkenswerten Anstieg bei Geschwindigkeit und Leistung akademischer KI-Forschung. 2018 unterschrieben mehr als 2000 KI-Forscher eine Petition, um eine neue, aber sehr bekannte Zeitschrift mit Paywall zu boykottieren, damit die KI-Forschung transparent bliebe.

B Hier wird eine Flotte kleiner, autonomer Lieferroboter von Starship Technologies getestet. Das estnische Start-up-Unternehmen brauchte die Genehmigungen von Gesetzgebern in mehreren US-Bundesstaaten, damit die Roboter ohne menschliche Aufsicht auf Gehwegen fahren durften.

2017 veröffentlichte eine Gruppe von über 25 Autoren aus der akademischen Welt, der Zivilgesellschaft und der Industrie einen Bericht über mögliche gefährliche Anwendungen von KI, insbesondere angesichts der steigenden Leistungsfähigkeit und Verbreitung der Technologie. Der Bericht führt eine Reihe abschreckender Beispiele an: Manipulierte autonome Autos könnten absichtlich in Menschenmengen gesteuert oder mit Sprengstoff bestückt werden. Malware, die KI-gesteuerte Hirnimplantate oder Herzschrittmacher infiziert, könnte für Attentate verwendet werden, und Kriminelle könnten Technologien, die Gesichter oder Stimmen imitieren, für zielgerichtete Phishing-Versuche einsetzen. Der Bericht fordert KI-Forscher auf, Schutzmaßnahmen in ihre Technologien einzubauen und Sicherheitsfragen offener zu diskutieren.

Überraschenderweise schlugen die Autoren sogar vor, dass Forscher bestimmte Ideen oder Anwendungen gar nicht erst zur Veröffentlichung freigeben sollten. Die meisten Forscher befürworten dagegen eine offene Vorgehensweise und veröffentlichen ihre Arbeiten in Blogs und ihren Code als Open Source. Viele Fachleute sind der Ansicht, dass möglicherweise bedenkliche KI-Anwendungen nicht heimlich entwickelt werden sollten. Ihre Existenz sollte offengelegt werden, sodass alle informiert sind und im Vorfeld über mögliche missbräuchliche Anwendungen diskutiert werden kann.

Die Open Culture von KI mag manchen naiv erscheinen, ergibt sich aber aus ihrer Geschichte. Während der vielen Hoch- und Tiefpunkte in ihrer Entwicklung hat die KI hinsichtlich ihrer Anwendungen und der gesellschaftlichen Veränderungen immer eher zu viel versprochen. Fragen zu Moral und Ethik erscheinen Skeptikern daher oft irrelevant, da die Technik vielleicht nie zur Reife gelangen wird. Schließlich haben trotz der jüngsten Fortschritte in der Automatisierung die Algorithmen für maschinelles Lernen – die wesentlichen Triebkräfte hinter dem aktuellen KI-Boom – ernsthafte Probleme, die immer offener zutage treten. Wenn diese Probleme nicht bald zur Zufriedenheit der Investoren gelöst werden, könnte es erneut zu einem KI-Winter kommen.

Derzeit weist jedes einzelne KI-System höchstens ein begrenztes Schnipselchen Intelligenz auf. Während Forscher die Technologie in immer mehr Bereichen anwenden, erkennen sie zunehmend ihre Grenzen. Überlagerungen oder Rauschen tricksen Gesichtserkennungssysteme aus. Ein autonomes Auto kann nicht auf neue, unbekannte Verkehrssituationen reagieren, und Übersetzungssysteme blockieren bei ungewöhnlichen Dialekten oder Ausdrücken. Eine Schätzung legt nahe, dass Kleinkinder im flexiblen Umgang mit veränderlichen Situationen intelligenter sind als die besten neuronalen Netze. Ein Kleinkind kann einen Hund erkennen, einfache Sätze bilden und ein iPad bedienen. Soll eine einzelne KI die drei Aufgaben ausführen, so scheitert der Algorithmus, wenn er nicht explizit für jede trainiert wurde.

Laut John Giannandrea, Leiter für maschinelles Lernen bei Apple, liegt die Gefahr von KIs nicht in einer zukünftigen Roboter-Apokalypse, sondern darin, dass sie bereits Bereiche der Gesellschaft bestimmen, obwohl sie dumm und voreingenommen sind.

A   Am Massachusetts Institute of Technology (MIT) wurden Algorithmen zur Bewegungsplanung entwickelt, die Flugräume in hindernisfreie Bereiche aufteilen. Diese werden zu einer Flugbahn für autonome Drohnen zusammengeführt, sodass sie kollisionsfrei fliegen.

B   Hier wurde in einem MIT-Projekt eine Bibliothek aus »Tunneln« für den Flugraum programmiert, sodass das Flugzeug nach einer hindernisfreien Passage suchen kann. Dies garantiert Sicherheit, ohne dass der Raum zuvor durchflogen werden muss.

C   Das Diagramm zeigt einen »Neural-Modularity«-Algorithmus, der katastrophales Vergessen reduziert. Er beruht auf modularen neuronalen Netzen, die ein- und ausgeschaltet werden können, damit beim Lernen alte Fähigkeiten erhalten bleiben.

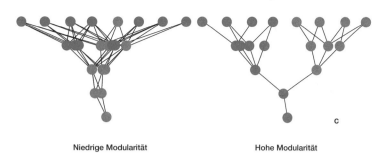

Katastrophales Vergessen bezeichnet die Neigung künstlicher neuronaler Netze, vorheriges Wissen abrupt zu vergessen, wenn sie Informationen zu einer neuen Aufgabe lernen.

Niedrige Modularität

Hohe Modularität

c

Ein großer Teil des Problems ist das Training der Algorithmen für maschinelles Lernen. Nach dem Training ergibt sich ein tiefes neuronales Netz mit bestimmten synaptischen Gewichtungen der Neuronen, das die richtigen Ergebnisse liefert. Diese Gewichtungen sind optimal für das Problem, für das das Netz geschult wurde. Wird das Problem leicht verändert, sind die Gewichtungen nicht mehr optimal eingestellt, und der Algorithmus verhält sich falsch. Diese Abhängigkeit von bestimmten Konfigurationen aus synaptischen Gewichtungen für ein bestimmtes Problem führt zu einer weiteren Begrenzung: Das neuronale Netz kann nicht aus Erfahrung lernen. Wird das Problem verändert, muss das Netzwerk von vorn anfangen: Die aktuellen Gewichtungen werden »zurückgesetzt«, und das Netz verliert die »Erinnerung« an das Gelernte. Die Ergebnisse sind so niederschmetternd, dass die Forscher das Phänomen passend als »**katastrophales Vergessen**« bezeichnen.

Eine KI, die flexibel zwischen gelernten Aktivitäten verallgemeinern könnte, würde die Intelligenz-Landschaft grundlegend verändern.

Eine solche KI könnte neue Probleme auf einem Niveau in Angriff nehmen, das über dem des Menschen liegt. Generalisierung könnte die Grundlage für den nächsten großen Schritt in der KI sein, der dann in die Richtung des Traums von einer allumfassenden Allzweck-KI geht.

A

Echte Intelligenz funktioniert auch noch bei leichter Änderung eines Problems. Daher gibt es ungeheure Anstrengungen, diesen nächsten Entwicklungsschritt zu realisieren.

Ein Beispiel ist der differenzierbare neuronale Computer (DNC) von DeepMind, ein dem Gehirn nachempfundenes, tiefes neuronales Netz mit einem Speichersystem. Wird das Netzwerk mit zufällig verbundenen Graphen trainiert, lernt es erstens die Muster in den Daten und zweitens auch die optimale Verwendung seines externen Speichers. Da der Speicher als eine Art »Wissensarchiv« dient, kann das neuronale Netz komplizierte, mehrstufige Probleme angehen, die komplexe und überlegte Schlussfolgerungen anhand von Wissen erfordern. Mit dieser Kombination konnte DNC schwierige Probleme lösen, die rationale Gedankengänge erfordern: Er plante z. B. eine Fahrt mit mehreren Etappen im Londoner U-Bahnnetz.

2017 veröffentlichten DeepMind-Forscher den **EWC**-Algorithmus, der neuronale Netze durch die Festigung neuronaler Pfade erstellt – so, wie auch

B

A/B Um die kognitive Flexibilität zu erhöhen, trainieren Organisationen Algorithmen in den Umgebungen von Strategiespielen, z. B. Dota2 (A, bei OpenAI) und StarCraft II (B, bei DeepMind).

C Deep Learning ist ein Teilbereich des maschinellen Lernens, das wiederum ein Teilbereich der KI ist.

Fähigkeiten im menschlichen Gehirn gespeichert werden. Mit diesem Algorithmus lernte eine KI neue **Atari**-Spiele, ohne zuvor erlernte Spiele zu »vergessen«. Diese Beispiele zeigen rudimentäre Anstrengungen zur Meisterung von Flexibilität und Verallgemeinerung, denn dies sind die beiden schwierigen und noch ungelösten Probleme des maschinellen Lernens.

Flexibel lernende Maschinen könnten auch kindliches Lernen nachahmen: Zeigt man einem Kind einen Hamburger, so erstellt es im Kopf unterbewusst ein Modell davon: ein rundes Stück Fleisch in einem Brötchen. Anders als KI braucht ein Kind nicht Millionen von Beispielen, um das Konzept zu verstehen. OpenAI will diesen Hochleistungsprozess beim Extrahieren von Konzepten aus Wissen nachahmen und damit KI-Algorithmen »Menschenverstand« verleihen.

Der von DeepMind entwickelte Algorithmus **EWC (Elastic Weight Consolidation)** zielt darauf ab, das Problem des katastrophalen Vergessens zu lösen.

Atari ist ein US-amerikanisches Unternehmen, das 1972 in Kalifornien gegründet wurde und sich auf die Entwicklung von Arcade-Spielen wie Tetris und Pong spezialisierte. Atari ist auch bekannt für die Entwicklung von Videospielkonsolen und Computern.

C

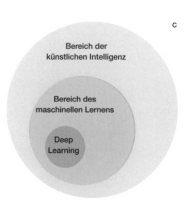

In einem Fall konstruierte das Team einen digitalen Spielort, in dem ein einziger KI-Algorithmus von einem Spiel zum anderen gehen kann und dabei erlerntes Wissen mitnimmt. In einem anderen Fall schuf es mehrere Robotersysteme, die Menschen bei der Ausführung einer Aufgabe in virtueller Realität beobachten. Ähnlich wie Kleinkinder sich Fähigkeiten durch das Nachahmen von Erwachsenen aneignen, lernten die OpenAI-Roboter die Aufgabe nach nur einer einzigen Demonstration. Ein Team der New York University entwickelte die Idee weiter und baute eine wissbegierige KI, die intelligente Fragen zu stellen lernt und jede Frage wie ein einziges Miniprogramm behandelt. Dieses Frage-und-Antwort-Schema ermöglicht dem Algorithmus, aus nur einer Handvoll von Beispielen zu lernen und eigene Fragen durch Extrapolation aus bereits Erlerntem zu formulieren. Das MIT kündigte kürzlich eine institutsübergreifende Initiative namens Intelligence Quest an, die der Intelligenz durch Reverse-Engineering auf die Spur kommen will: Sie bauen KI-Systeme, die wie menschliche Kinder lernen.

Geoffrey Hinton, der häufig als der Vater des Deep Learning bezeichnet wird, sieht die derzeitigen technischen Probleme nur als vorübergehendes Ärgernis an.

A Indem einer KI beigebracht wird, schwierige und interessante Fragen zu stellen, werden kognitive Modelle entwickelt, die Spiele ähnlich wie »Schiffe versenken« spielen können (siehe Bild). Die KI lernt, welche Fragen von Bedeutung sind, und bildet daraus neue Fragen für diese spezielle Spielumgebung.

B Dieses Bedrohungsüberwachungssystem basiert auf menschlichen, Angst gesteuerten Antworten. Es verwendet maschinelles Lernen, um anormale oder bedrohliche Situationen bei seegestützter Luftverteidigung, Computer-Netzwerk-Verteidigung und Sicherheit autonomer Fahrzeuge zu erkennen.

A

B

C Soul Machines Ltd. entwickelt interaktive autonome Modelle des Gehirns und Gesichts, um ausdrucksvolle Mensch-Maschine-Kommunikation zu verbessern. Das BabyX-Projekt des Auckland Bioengineering Institute (siehe Bild) ist eine psycho-biologische Simulation eines virtuellen Kindes, die Forschern bei der Analyse von audio-visuellen Eingaben in Echtzeit hilft, um ein entsprechendes auf Neurowissenschaften basierendes Feedback zu erzeugen. Das System ermöglicht auch Visualisierungen interner Prozesse durch eine anatomisch relevante Schnittstelle.

Wenn er recht hat, wird die KI größere Aufgaben bewältigen als persönliche Assistenten, Fahrer oder Diagnostiker. Sie könnte die Struktur der Gesellschaft und unseren Platz darin unwiderruflich verändern. Wenn sich KI organisch entwickeln, selbst lernen und sogar selbst reproduzieren kann, dann gibt es keinen Grund, warum einzelne KIs nicht unabhängig miteinander kommunizieren und ihr eigenes KI-Kollektiv bilden sollten.

Der größte Hemmschuh für die Fortentwicklung der KI ist die Klärung ethischer Fragen.

4. Die Zukunft der KI

A

B

2017 startete das japanische Unternehmen Soft-Bank ein Experiment mit drei Coffee-Shops in Tokio. Unter normalen Umständen wäre das keine Nachricht wert, aber in diesen Läden arbeiteten ausschließlich Exemplare von Pepper, dem humanoiden Roboter des Telekommunikationsriesen, der in natürlicher Sprache mit Menschen kommuniziert. Er verfügte über rundum bewegliche Räder, zwei Arme und ein in den Brustkorb eingebautes Tablet, in das die Kunden ihre Wünsche eingaben. Die Roboter erkannten die Gesichter ihrer Stammkunden und merkten sich deren Lieblingskaffee. Sie erkannten zudem Gefühle wie Freude, Trauer, Wut oder Überraschung und leiteten daraus die Stimmung der Kunden ab.

Was wie ein nettes Experiment schien, löste eine mediale Entrüstung aus, die bereits den Beginn einer »Robocalypse« verkündete. Die Presse hatte nicht ganz unrecht, denn viele Branchen spüren bereits die revolutionären Kräfte der KI. Die Liste der Tätigkeiten, die wohl bald durch KI erweitert – oder komplett übernommen – werden, wird immer länger.

C

D

Robocalypse beschreibt eine Dystopie, in der KI die Menschen ersetzt. Der Begriff stammt aus dem gleichnamigen Roman aus dem Jahr 2011, den Daniel H. Wilson in der Gegenwartsform schrieb. Er handelt von einer unkontrollierbaren KI.

Das **Internet der Dinge** bezeichnet die miteinander vernetzten digitalen Geräte, die in Alltagsgegenstände eingebettet werden, wie z. B. in Kühlschränke, die Daten per Internet senden und empfangen können.

A   Pepper zelebriert bei der International Funeral & Cemetery Show in Japan buddhistische Bestattungsrituale.
B   Der humanoide Roboter interagiert über Sensoren und intelligente Programmierung mit Kunden.
C   Ausgestattet mit der HoloLens für erweiterte Realität, kann Pepper am Flughafen Miyazaki den Weg weisen.
D   In Hongkong begrüßt ein Pepper-Roboter die Passagiere in einem Versuch, die Servicequalität zu steigern.

Wenn KI-Algorithmen zunehmend Teil unserer Gesellschaft werden, übernehmen sie wohl am ehesten Aufgaben als persönliche Assistenten oder Reisevermittler. Sprachgesteuerte Systeme wie Siri oder Alexa verschmelzen mit Empfehlungsprogrammen nahtlos zu digitalen Assistenten, die menschliche Bedürfnisse perfekt verstehen. Ende 2015 startete OpenAI eine Online-Trainingsplattform, auf der KI-Algorithmen alles lernen können, was in der digitalen Online-Welt erreicht werden kann. Als Beispiel verwendete das Unternehmen einen persönlichen KI-Reisevermittler, der Reisedaten für die günstigsten Tarife sowie topbewertete Hotels für Übernachtungen vorschlagen konnte, indem er die Bewertungen aus Social-Media-Kanälen auswertete. Die KI kann dem Nutzer vor dem Abflug auch Wetterprognosen liefern und automatisch anhand der Flugdaten eine »Abwesenheitsnotiz« erstellen. Vielleicht kann sie irgendwann auch in natürlicher Sprache mit den Reisebüros vor Ort sprechen, Tickets für Sehenswürdigkeiten buchen und die Interaktionen übersetzen.

Wenn KI in das **Internet der Dinge** integriert wird, könnten Smartphones, Fahrzeuge und Heimanwendungen zudem leichter miteinander kommunizieren. Ein intelligenter Kühlschrank könnte den Kalender des Nutzers lesen und dem Smartphone melden, dass zum Abendessen noch Eier fehlen. Das Smartphone würde dann das selbstfahrende Auto anweisen, auf dem Heimweg einen Stopp beim Supermarkt einzuprogrammieren.

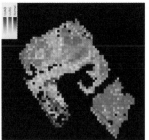

A

Das Verschmelzen von realer und digitaler Welt bringt eine große Entlastung von trivialen Aufgaben und steigert die Lebensqualität.

Auch das Gesundheitswesen steht vor einem großen Wandel. Mit der zunehmenden Genauigkeit und Transparenz der KI-Systeme könnten elektronische Patientenakten mit automatischen **Triage**-Systemen kombiniert werden, die das Gesundheitswesen effizienter machen. Mit KI-Systemen, die durch Sprachanalyse bei Notrufen z. B. Herzinfarkte oder posttraumatische Belastungsstörungen diagnostizieren, könnten sich Ersthelfer angemessen vorbereiten.

Der deutsche Informatiker Sebastian Thrun (*1967), der eine KI zur Hautkrebsdiagnose entwickelte, glaubt, dass KI die Mediziner mit Fachwissen und Hilfestellungen unterstützen wird. Im Gegensatz zu gefühllosen Maschinen stellen

Radiologen und Pathologen während der Diagnose viele Fragen, um die Ursache einer Krankheit zu ergründen. Mit automatischer Unterstützung könnten Ärzte den Diagnoseprozess überwachen und das Ergebnis der Maschinen anhand ihrer Intuition und Erfahrung bewerten. Es ist sehr wichtig, dass die Ärzte weiterhin praktisch beteiligt bleiben, damit die Patienten sich auf diesen Prozess einlassen. Auch in naher Zukunft werden Ärzte noch immer das letzte Wort haben. Die Frage lautet daher, wie sich die KI-Werkzeuge am besten in die Praxis integrieren lassen.

Für die Bevölkerung könnte die Fähigkeit der KI, Unmengen an Patientendaten und wissenschaftlicher Literatur nach Ergebnissen zu durchsuchen, letztendlich die individuelle Versorgung ermöglichen. Beim Vergleich der Genexpression von Krebszellen mit vorhandenen Daten anderer Fälle könnte die KI Medikamente und Dosierung für jeden Patienten individuell empfehlen und somit einen optimal auf die Person zugeschnittenen Behandlungsablauf ermöglichen.

A   Ein an der New York University entwickelter Algorithmus (rechts) analysierte ein kanzerogenes Lungengewebe (links) und erkannte zwei verschiedene Arten von Lungenkrebs mit 97 Prozent Genauigkeit. Die KI erkannte, ob sechs häufige anormale Gene im Gewebe vorhanden waren, sodass die Chemotherapie darauf abgestimmt werden konnte.

B   Dieses Instrument von Elucid Labs (Kanada) arbeitet mit computergestützter Bilderkennung. Es kombiniert Deep Learning mit tiefen Gewebescans und testet den Molekularaufbau der Haut in mehreren Schichten. So stellt es sekundenschnell Hautkrebs bereits in frühen Stadien fest und diagnostiziert ihn, ohne dass dazu eine Biopsie erforderlich wäre.

C   Geräte wie DermLite kombinieren leistungsstarke Linsen und LED-Licht mit Smartphones, damit Hautkrebs und andere Hautkrankheiten unkompliziert erkannt werden. Schnellere Prozessoren in Mobilgeräten und effizientere KI-Algorithmen verwandeln Smartphones immer öfter in intelligente Diagnosewerkzeuge.

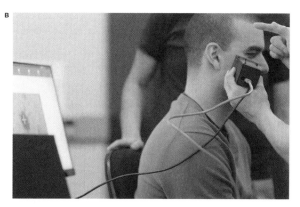

Durch die Analyse von freiwillig geteilten Daten aus Smart Wearables könnte eine KI Datensätze über eine ganze Bevölkerung erstellen, die epidemiologische Entwicklungen aufzeigen und die Gesundheitspolitik lenken.

Da die Regierungen die Vorteile der KI in der Medizin erkennen, legen sie Finanzierungsprogramme auf. Die britische Regierung beabsichtigt, Millionen in die Entwicklung von KI-Algorithmen zur Krebserkennung zu stecken. Bis 2033 sollen dort mithilfe von KI bei 50 000 Personen bestimmte Krebsarten – Prostata-, Eierstock-, Lungen- und Darmkrebs – im Frühstadium erkannt werden. In den USA wurden bereits drei KI-Systeme zur Diagnose von Handgelenksfrakturen, Augenerkrankungen und Schlaganfällen zum Verkauf zugelassen, und gerade werden neue Richtlinien zur schnelleren Zulassung von KI-Geräten verfasst.

A

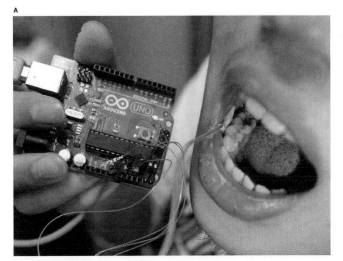

A   Der intelligente Zahn-
sensor wurde 2013 in
Taiwan entwickelt. Er
verbindet einen Be-
schleunigungssensor
mit einer Spange, deren
Algorithmus Mundbewe-
gungen – Kauen, Rau-
chen, Schlucken und
Atmen – mit 94 Prozent
Genauigkeit aufzeichnet.
B   In Singapur reduziert
ein KI-gesteuertes,
automatisches Ab-
fertigungssystem die
Warteschlange bei der
Einreise. Staatsbürger,
Personen mit Dauer-
wohnsitz und registrierte
Reisende können mit
biometrischen Daten
einreisen.

B

Die Kombination aus Regierungsunterstützung, Unternehmensvorteilen und wissenschaftlichem Interesse treibt das schnelle KI-Wachstum nachhaltig und kraftvoll voran. Revolutionäre Technologien haben schon immer Arbeitsplätze zerstört, und auch die KI wird – durch die Automatisierung der Automatisierung – zweifelsohne die Zukunft der Menschheit prägen.

Smart Wearables wie Smartwatches oder Fitness-Tracker werden vom Verbraucher am Körper getragen. Die Geräte verfügen häufig über intelligente Funktionen, z. B. Anwendungen zum Messen des Blutzuckerspiegels oder zur rechtzeitigen Einnahme von Medikamenten.

Das **Weltwirtschaftsforum** ist eine 1971 gegründete gemeinnützige Schweizer Stiftung. Das Forum lädt führende Vertreter aus Politik, Wirtschaft und Industrie aus aller Welt ein, um über dringende geopolitische Fragen oder Umweltschutz zu diskutieren.

Eine Anfang 2018 veröffentlichte Schätzung des **Weltwirtschaftsforums** geht davon aus, dass in den nächsten acht Jahren in den USA 1,4 Mio. Arbeitsplätze durch die Automatisierung ersetzt werden. Ein neuerer Bericht von PwC, dem weltweit zweitgrößten Unternehmen für Beratungsdienstleistungen, sagt den Wegfall von über 40 Prozent der Arbeitsplätze bis 2030 voraus. Das McKinsey Global Institute sieht in den nächsten 20 Jahren weltweit eine Bedrohung für knapp die Hälfte aller Arbeitsplätze.

Diese düsteren Vorhersagen haben zu einer Neubelebung der Diskussion um ein **allgemeines Grundeinkommen** geführt. Silicon Valley ist begeistert, Elon Musk und Mark Zuckerberg gehören zu den Technologieriesen, die die Idee unterstützen. Sam Altman (*1985), Geschäftsführer der Firma **Y Combinator**, finanziert Pilotprojekte, die das Verhalten von Menschen untersuchen, die ein bedingungsloses Einkommen erhalten. Ab 2019 will Y Combinator 1000 Menschen drei bis fünf Jahre lang 1000 US-Dollar pro Monat geben. Das Europaparlament hat zudem die Idee ins Gespräch gebracht, Roboter mit einer Einkommensteuer zu belegen. Dies würde zur Finanzierung des allgemeinen Grundeinkommens beitragen und den weltweit durch KI erzeugten Wohlstand gerechter verteilen. Andererseits bestehen Bedenken, dass uns unter Umständen eine Epoche der Massenarbeitslosigkeit und Armut bevorsteht, die »**technologische Arbeitslosigkeit**«, falls die Automatisierung den Wohlstand der Gesellschaft nicht drastisch steigert – was ja keineswegs selbstverständlich ist. Und selbst wenn die Grundausgaben gedeckt sind, was passiert mit unserem Selbstwertgefühl, wenn Arbeitsplatz und Karriere verloren gehen?

Nicht alle stimmen dieser Schwarzmalerei zu, obwohl den meisten Fachleuten klar ist, dass die Automatisierung die Zukunft ist.

A   Toyota setzt Industrieroboterarme ein, um rund 1400 Autos pro Tag zu montieren, wobei Qualität, Kapazität und Sicherheit zunehmen. Unterstützung durch Roboter ist heute in der Großindustrie bereits Alltag.

B   2016 lehnten die Schweizer mit großer Mehrheit einen Vorschlag für ein allgemeines Grundeinkommen ab. Finnland, Holland und Kanada entwickeln derzeit Pilotprogramme, um das Konzept in kleineren Bevölkerungsgruppen zu testen.

A

Manche glauben, dass die KI uns alltägliche Arbeiten abnehmen wird und die daraus resultierende Freizeit die größte Befreiung in der Geschichte darstellen werde. Arbeit auf Maschinen auszulagern ist nichts Neues. Der Mensch macht das schon seit 200 Jahren. Wie jede vorherige Revolution zur Schaffung neuer Arbeitsplätze geführt hat (z. B. KI-Programmierer und Roboteringenieure), werden auch KI-Systeme uns Menschen neue Formen der Beschäftigung ermöglichen.

Das **allgemeine Grundeinkommen** ist eine Art Sozialprogramm, bei dem jeder Bürger einen regelmäßigen und bedingungslosen Betrag von der Regierung erhält, und zwar unabhängig vom Einkommen oder sozioökonomischen Status.

Das US-Unternehmen **Y Combinator** wurde 2005 gegründet und bietet Start-up-Unternehmen Anschubfinanzierung, Beratung und Kontakte. Zu seinen Erfolgen zählen der Speicherdienst Dropbox und das Netzwerk zur privaten Unterkunftsvermietung Airbnb.

Der britische Wirtschaftswissenschaftler John Maynard Keynes prägte in den 1930er-Jahren den Begriff »**technologische Arbeitslosigkeit**«, der den weitreichenden Verlust von Arbeitsplätzen aufgrund des technischen Fortschritts, z. B. Automatisierung, beschreibt.

B

A

2017 schätzte McKinsey, dass die Automatisierung die Produktivität jährlich um 0,8 bis 1,4 Prozent steigern wird, da sich menschliche Fehler verringern, Qualität und Geschwindigkeit steigen und Ergebnisse jenseits des Menschenmöglichen erzielt werden können. Zu einer Zeit, in der die erwerbsfähige Bevölkerung in vielen Ländern stark zurückgeht, könnten KI-Systeme den Produktivitätsrückgang ausgleichen. Der Bericht prognostizierte, dass die Arbeitsverlagerungen aufgrund von KI denen im 20. Jahrhundert ähneln werden, als die Technik landwirtschaftliche Aufgaben übernahm. Allerdings führten diese Verlagerungen nicht zu einer langfristigen Massenarbeitslosigkeit, was auch bei der KI-Revolution nicht anzunehmen ist.

Als **inselbegabt** werden Menschen mit einem Savant-Syndrom bezeichnet. Sie weisen deutliche kognitive Behinderungen auf, haben aber dafür andere Fähigkeiten, die weit über das normale Maß hinausgehen. In der Regel betrifft dies das Erinnerungsvermögen oder eine künstlerische Begabung.

Die KI wird den Arbeitsmarkt als Ganzes wohl kaum verändern: Die Produktivität ist wegen der Automatisierung nicht wesentlich gestiegen, und die Lage auf dem Arbeitsmarkt verbessert sich weiterhin.

B

A Schädlings-
bekämpfung
mit Drohnen
gibt es sogar in
ländlichen Ge-
genden Chinas.
KI könnte die
Landwirtschaft
jetzt, da die Ge-
sellschaft mehr
Lebensmittel
mit weniger
Ressourcen pro-
duzieren muss,
revolutionieren.

B 2016 stellte
Case IH das
Konzept eines
ersten führer-
losen Groß-
traktors vor, den
Landwirte über
ein Tablet fern-
steuern können.
KI-gesteuerte
Traktoren und
Geräte könnten
die Produktivi-
tät drastisch
erhöhen.

Ein Bericht über den Einfluss von Robotern in der Produktion und der Landwirtschaft in 17 Ländern fand heraus, dass
Roboter die Gesamtarbeitszeit der Menschen nicht reduzierten und die Löhne
sogar anstiegen. Ein Grund hierfür ist,
dass heutige KI-Systeme nicht sonderlich
intelligent sind und wir daher nur erahnen,
wie die Automatisierung die Zukunft verändern kann. Damit KI-Systeme menschliche Arbeitsplätze im großen Stil ersetzen
können, muss die Technologie weit intelligenter werden als die inselbegabten
Systeme, die wir heute kennen. Solange
die Probleme des maschinellen Lernens
nicht angemessen gelöst werden, verhar-
ren KI-Systeme in der Rolle eines emsi-
gen Praktikanten: Sie führen bestimmte
Arbeiten sehr gut aus, aber nur unter
Aufsicht und Anleitung. Bis KI das Niveau
menschlicher Kompetenz erreicht, wird
der Mensch in der Managerrolle bleiben.

A

Auch wenn die Geschichte durchaus Zweifel an der Verwirklichung einer menschenähnlichen KI aufkommen lässt, so glaubt doch eine bedeutende Zahl an KI-Forschern, Philosophen und Futuristen an eine allgemeine KI in naher Zukunft. Das Konzept der technologischen Singularität, das Ray Kurzweil in seinem Bestseller *Menschheit 2.0: Die Singularität naht* (2014) einführt, sagt eine Zeit voraus, in der KI die Intelligenz des Menschen erreicht. Diese bemerkenswerte Errungenschaft werde dann rasch zum Aufstieg von **superintelligenter KI** führen – mit unvorhersehbaren Folgen für unsere Zivilisation.

Auch wenn sich Anhänger der Singularität über die Folgen eines solch seismischen Ereignisses uneins sind – entweder globale Utopie oder katastrophale existenzielle Bedrohung –, glauben sie, dass es bald eintreten wird. In jüngsten Untersuchungen wurden Experten in der KI-Community befragt, wann Maschinen ihrer Ansicht nach menschliche Intelligenz erreichen werden, wenn der technische Fortschritt im aktuellen Tempo voranschreitet. Im Durchschnitt hielten 10 Prozent dies bis 2022 für möglich und 50 Prozent bis 2040. Bis 2075 erreichen die Schätzungen nahezu unausweichliche 90 Prozent. Außerdem wurden sie zum Zeitrahmen für die Entwicklung einer superintelligenten KI nach der Verwirklichung einer allgemeinen KI befragt. 75 Prozent der Experten gaben als Schätzwert nur 30 Jahre an. Wir könnten also möglicherweise in der zweiten Hälfte dieses Jahrhunderts Zeugen der Singularität werden.

Diesen Schätzungen liegt die Annahme zugrunde, dass die Technologie im momentanen Tempo voranschreitet. Bis heute erhöhte sich die Rechenleistung exponentiell. In den letzten fünf Jahrzehnten stieg die Rechenleistung von Computerchips verlässlich, ein Phänomen, das Intel-Mitbegründer Gordon Moore (*1929) als Erster aufzeigte. Bisher entsprach die Chipindustrie dem **Mooreschen Gesetz**, aber es gibt Anzeichen, dass wir uns einem Engpass nähern. Der Halbleiterriese Intel prognostizierte 2016, dass sich Siliziumtransistoren nur noch fünf Jahre lang immer weiter verkleinern lassen.

Superintelligente KI ist eine hypothetische KI mit intellektuellen Fähigkeiten, die das menschliche Gehirn in praktisch jedem Bereich übertreffen, z. B. wissenschaftliche Kreativität, logisches Denken und Intuition. Ob superintelligente KI-Systeme entstehen werden, ist Gegenstand von Diskussionen.

Das **Mooresche Gesetz** bezieht sich auf die Beobachtung von Gordon Moore im Jahr 1965, dass jedes Jahr doppelt so viele Transistoren auf einen Chip passen. 1975 korrigierte sich Moore dahingehend, dass sich die Zahl alle zwei Jahre verdopple.

Da Intel Unternehmen wie Google und Microsoft mit Serverchips beliefert, würde eine Verlangsamung oder ein Stopp in der Hardwareentwicklung den Fortschritt im Bereich der allgemeinen KI zum Erliegen bringen. Es gibt bereits Anzeichen, dass die Supercomputer in Sachen Geschwindigkeit in den letzten Jahren stagnieren, was nahelegt, dass diese leistungsfähigen Maschinen unter dem allmählichen Nachlassen des Mooreschen Gesetzes leiden.

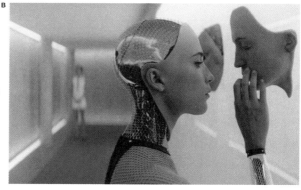

A   Eine Mitarbeiterin bei Renesas Electronics in der Chipfabrik in Naka, Japan. Das Unternehmen ist einer der weltweit größten Hersteller von Mikrocontrollern.
B   Eine Aufnahme aus Alex Garlands Film *Ex Machina* (2014), der sich mit dem Bewusstsein von Maschinen auseinandersetzt. Die Popularisierung von Deep Learning entfachte erneut die Diskussion darüber, was maschinelles Denken und Bewusstsein ausmacht.

Der drohende Stillstand hat das Interesse an einer komplett umgestalteten Architektur der Computerchips geweckt.

Heutige Siliziumchips, wie **CPU**s und **GPU**s, sind nicht für die Ausführung von Deep-Learning-Algorithmen ausgelegt. Chiphersteller und KI-Riesen erforschen seit Kurzem den Bau neuromorpher Chips. Diese Chips verarbeiten Daten mithilfe elektronischer Elemente, die den Neuronen und Synapsen im Gehirn nachempfunden sind und künstliche neuronale Netze in Hardwareform bilden. Anstatt Deep-Learning-Algorithmen auszuführen, implementieren neuromorphe Chips alles in ihre Hardware.

A

A   Intels neuromorpher Chip Loihi verwendet einen hirnbasierten Rechenmechanismus – asynchrones Spiking –, um aus Umgebungsfeedback zu lernen. Der Chip hat eine Lernrate, die rund eine Million Mal schneller und 1000-mal effizienter ist als die derzeitige Hardware bei ähnlichen Aufgaben.

B   Intels neuronaler Netzwerkprozessor Nervana wurde Ende 2017 eingeführt und verspricht höhere Leistung und bessere Skalierbarkeit für KI-Algorithmen. Die KI-Hardware enthält eine spezielle, auf Deep Learning zugeschnittene Architektur, was die Energieeffizienz im Vergleich zu den derzeit bevorzugten GPUs verbessert.

B

Das Herzstück eines Computers ist die **CPU** (Central Processing Unit). Sie verarbeitet die Daten, indem sie Computerprogramme ausführt.

Die **GPU** (Graphics Processing Unit) ist ein elektronischer Schaltkreis, der auf Bildverarbeitung spezialisiert ist. Eine GPU kann mehrere Datenblöcke parallel verarbeiten und verringert somit die Rechenzeit.

Phasenwechselmaterial wechselt seinen Zustand zwischen fest, flüssig und anderen Zuständen. Ausgelöst wird dies durch Umweltbedingungen, z. B. Temperaturänderungen.

Ein neuromorpher Chip kann normalerweise mehrere Rechenkerne auf eine kleine Fläche packen. Ähnlich einem biologischen Neuron verarbeitet jeder Kern Eingaben aus mehreren Quellen und integriert die Informationen. Wenn die Summe der Eingaben einen Schwellenwert erreicht, erzeugt der Kern ein Ausgabesignal. Diese Rechenmethode unterscheidet sich grundlegend von heutigen Computern, die einen separaten Speicher und eine Prozessoreinheit haben. Neuromorphe Chips integrieren beide Einheiten und reduzieren damit den Energieverbrauch deutlich. Anders als heutige CPUs, die Befehle der Reihe nach abarbeiten, können neuromorphe Rechenkerne spinnennetzähnliche Netzwerke bilden, die parallel arbeiten und so die Chips viel schneller machen.

2014 trieb IBM die Entwicklung neuromorpher Chips voran. Das Ergebnis war der »kognitive Chip« SyNAPSE mit einer vom Gehirn inspirierten Architektur mit 5,4 Mrd. Transistoren und mehr als 4000 neurosynaptischen Kernen. Obwohl er der größte je von IBM gebaute Chip war, verbrauchte er im Echtzeitbetrieb nur 70 mW – viel weniger als herkömmliche Siliziumchips. Ein paar Jahre später setzte das Unternehmen **Phasenwechselmaterialien** ein und konnte damit das Feuern biologischer Neuronen nachahmen.

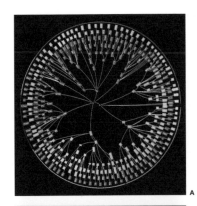

A

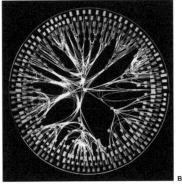

B

A/B Diese Graphen zeigen Leitungsbah-
     nen weißer Nervensubstanz in einem
     Makakenhirn. Die Neurowissenschaft
     unternimmt enorme Anstrengungen, um
     die Nervenleitungswege zu verfolgen
     und die Funktion und Organisation des
     Hirns zu enträtseln.
C   Der vom Makakenhirn inspirierte Neon-
     wirbel wurde für die Konstruktion eines
     neuen Computerchips verwendet.

Durch den Einsatz von Phasenwechselmaterialien konnte das
Team den Chip auf Nanometer-
größe reduzieren und dennoch
komplizierte Berechnungen
schnell ausführen und sehr
wenig Energie verbrauchen.
Eine andere Idee, die 2016 von
der Princeton University veröffentlicht wurde, verzichtet
gänzlich auf elektrische Energie und versorgt einen neuromorphen Chip mit mehreren
»Neuronen« stattdessen mit
der Energie von Photonen. Eine
Reihe von Experimenten zeigte,
dass der nanophotonische
Chip ähnlich lernt wie künstliche neuronale Netze, allerdings
mit Lichtgeschwindigkeit. Bei
einem Test gegen herkömmliche Rechner löste das photoni-
sche neuronale Netz Matheauf-
gaben fast 2000-mal schneller.

In Versuchen werden künstliche Synapsen
aus organischen Materialien entwickelt,
die mit menschlichen Gehirnen biokom-
patibel sind. ENODe, ein von der Stanford University und den Sandia National
Laboratories entwickeltes elektronisches
Gerät, imitiert Berechnungen in biologischen Synapsen. Eine Miniaturversion
des Chips soll den Energieverbrauch mil-
lionenfach reduzieren. Zudem soll er sich

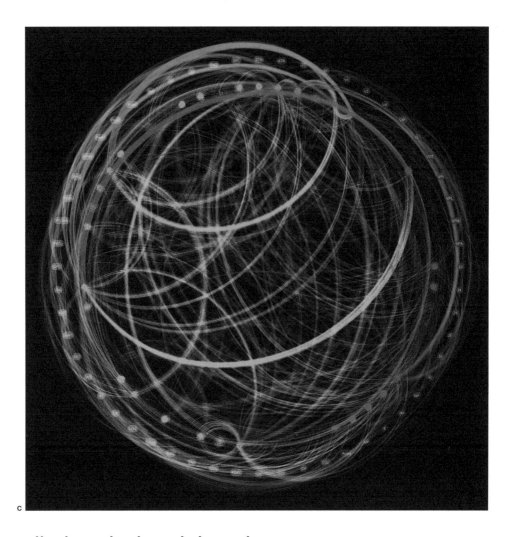

c

direkt mit dem lebenden Gehirn verbinden und bessere Gehirn-Computer-Schnittstellen ermöglichen. Forscher am National Institute of Standards and Technology in den USA erfanden einen neuromorphen Chip, der schneller und effizienter rechnet als das menschliche Gehirn.

Eine **biologische Synapse** ist die Verbindung zwischen zwei Neuronen im Gehirn, die über elektrische oder chemische Signale miteinander kommunizieren können.

Eine **Gehirn-Computer-Schnittstelle** stellt eine direkte Verbindung zwischen einem externen elektronischen Gerät, z. B. einem Computer oder einer Prothese, und dem Gewebe im Gehirn her. Das System übersetzt die elektrischen Gehirnsignale in Computerbefehle und umgekehrt.

Noch aufregender ist die Möglichkeit, menschliche Gehirnfunktionen mit einem externen oder implantierten elektronischen Chip zu reparieren oder zu erweitern.

Mit Prototypen von Neuroprothesen konnten gelähmte Patienten wieder laufen, und Blinde erlangten Teile ihrer Sehkraft zurück. Die Systeme bestehen häufig aus einer Vielzahl an Elektroden, die direkt ins Gehirn implantiert werden. Sie nehmen neuronale Signale auf und leiten

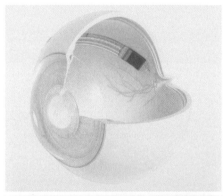

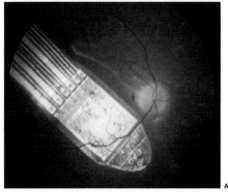

Neural Lace ist ein Hirnimplantat aus einem feinen Gewebe, das drahtlos mit Computern kommuniziert und auf Befehl chemische Prozesse in Gang setzt. Rein hypothetisch könnte das Gerät neurodegenerative Erkrankungen wie Parkinson behandeln helfen oder Prothesen direkt mit dem Gehirn verbinden, damit die Träger ihre künstlichen Körperteile darüber steuern können.

A

B

A Implantierbare Netzhautprothesen, wie die abgebildete AlphaAMS, werden entwickelt, um bei blinden Patienten eine minimale Sehkraft wiederherzustellen. Diese Implantate besitzen häufig Mikrochips, stimulieren direkt die gesunden Augenbereiche und übertragen die visuellen Informationen entlang des Sehnervs direkt ins Gehirn.

B Die Optogenetik verwendet Licht zur Kontrolle von Neuronen, die genetisch so verändert wurden, dass sie lichtempfindliche Proteine auf ihren Membranen exprimieren. Unterschiedliche Lichtfrequenzen verändern die Aktivitäten geschädigter Motoneuronen. Diese Methode wurde bei Mäusen zur Reduzierung der Symptome der Parkinsonerkrankung eingesetzt.

sie an einen externen Computer, der die Informationen mithilfe von KI analysiert. Die Absicht des Nutzers, z. B. eine Armprothese zu bewegen, wird decodiert und in ein Computerprogramm umgewandelt, das den Arm bewegt. Ein ähnliches System sendet umgekehrt Wahrnehmungen der Prothese zurück ans Gehirn.

Um das Trauma von operativ ins Gehirn implantierten Elektroden zu minimieren, entwickeln Forscher kleinere, sicherere und effizientere Sonden, die direkt ins Gehirn eingesetzt werden und elektrische Signale aufzeichnen. 2016 entwickelte ein Team Neural Dust, einen staubkorngroßen, drahtlosen Ultraschall-Sensor, der mit minimalen Gewebeschädigungen eingesetzt werden kann, um die Neuronenaktivität anzuregen. Andere entwickeln Methoden, die mittels Magneten neuronale Kommunikation aufzeichnen und replizieren. Elon Musk war 2017 einer der Mitbegründer von Neuralink, einem Start-up, das eine neue Art von Hirnimplantat entwickelt: Neural Lace (»Nervenschnur«).

Obwohl es derzeit nur wenige Erkenntnisse gibt, dass sich höhere Funktionen, wie Gedächtnis oder Persönlichkeit, in einem implantierten Chip speichern lassen, entschlüsseln Forscher rasant den Informationsgehalt der elektrischen Signale im Gehirn. Ein wesentlicher Antrieb dafür und gleichzeitig eine große Hilfe ist die rasche Annahme der KI-Technologien. Es gibt bereits Technologien, die den Inhalt von Träumen entschlüsseln oder Gesichter rekonstruieren können, indem sie die Hirnaktivität lesen.

Frühe Studien an einer kleinen Patientengruppe zeigten erstaunlicherweise, dass die Signale zum Erlernen einer Aufgabe innerhalb eines neuronalen Schaltkreises über implantierte Elektroden von einem Computer aufgezeichnet, mit einer KI analysiert und wieder zurück ins Gehirn gebracht werden können. Durch Stimulation der Neuronen über hirneigene elektrische Codes konnte das Team die Lernwirksamkeit dieser Aufgabe bei den Testpersonen deutlich steigern. Eine Zukunft, in der einige unserer Gedanken automatisch an einen Computer ausgelagert werden könnten, hört sich vielleicht einfach an, allerdings braucht es dazu einen operativen Eingriff in unser Gehirn.

A Das Militär ist besonders interessiert am Einsatz von nicht-invasiven Gehirn-Computer-Schnittstellen zur Ausbildung von Soldaten. Fortschrittliche Algorithmen analysieren die Gehirnaktivität, um eine genauere Steuerung nur über die Hirnströme zu erzielen.

B Tensor-Prozessoren oder TPUs von Google Cloud sind leistungsstarke Hardware für Forscher, die damit neue Modelle für maschinelles Lernen erstellen, die sehr große Rechenkapazitäten für Schulung und Betrieb benötigen.

A

Die Entwicklung hirnkompatibler Chips wird wohl zumindest neue Erkenntnisse über grundlegende Rechenvorgänge im Gehirn liefern. Diese Informationen könnten dann für die Entwicklung spezieller Computerchips für Deep Learning verwendet werden, da dieses ja auch den neuronalen Berechnungen im Gehirn nachempfunden ist.

Viele der heutigen neuromorphen Chips befinden sich noch immer im Entwicklungsstadium. Da viele Entwürfe auf Materialien mit bestimmten Anforderungen basieren (z. B. Materialien, die in flüssigem Stickstoff aufbewahrt werden müssen), deren Herstellung sehr teuer ist, bleibt abzuwarten, ob sie jemals aus dem Forschungsstadium herauskommen und reale Probleme lösen werden. Das Interesse an diesen Chips ist dennoch groß, und alle paar Monate ergeben sich neue Fortschritte. Außerhalb des neuromorphen Computing planen große Chiphersteller wie ARM und Nvidia auch die Produktion von Computerchips für das maschinelle Lernen. Unternehmen wie Google entwickeln intern eigene Lösungen: Der Tensorprozessorchip von Google erledigt Aufgaben des maschinellen Lernens z. B. 30-mal schneller und 80-mal energieeffizienter als ein Intel-Prozessor. Andere Technologieriesen wie Amazon, Facebook und Microsoft nehmen ebenfalls am Wettrennen um bessere Rechnerhardware teil, die eine allgemeine KI unterstützen kann.

B

Ein Teilbereich der Hirnforschung ist die **computerunterstützte Neurowissenschaft**, die die Kommunikation im Gehirn anhand von mathematischen und statistischen Modellen erforscht. Man nennt sie auch theoretische Neurowissenschaft.

A   Baxter, der Roboter von Rethink Robotic, bot sichere, flexible und standardisierte Hardware. Wirtschaft und Wissenschaft konnten ihn für ihre besonderen Zwecke trainieren und einsetzen.
B   Der PR2 von Willow Garage wurde in Berkeley eingesetzt, um Deep Learning im täglichen Einsatz zu erforschen, z. B. beim Bau einfacher Objekte und beim Falten von Wäsche.
C   Computergestützte Neurowissenschaft entschlüsselt den neuronalen Code – das neuronale Aktivitätsmuster – für verschiedene Verhaltensweisen, z. B. die Bewegung der oberen Gliedmaßen.

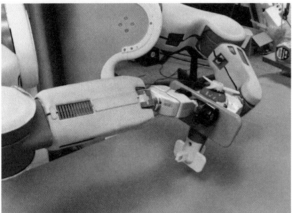

Diese Bemühungen deuten nicht auf einen erneuten Stillstand der KI hin, zumindest nicht im Bereich der Hardware. Drängender ist die Frage, ob Deep Learning, das aktuelle Zugpferd der KI, bald an seine Grenzen stoßen wird. Nur auf eine Idee zu bauen ist für sich genommen schon einschränkend.

Der portugiesische KI-Forscher Pedro Domingos (*1965) zeigt in seinem Buch *The Master Algorithm* (2015), dass ein wahrscheinlicheres Szenario zur Verwirklichung allgemeiner KI darin besteht, dass sich die verschiedenen Lager im Bereich des maschinellen Lernens zusammentun: Deep Learning mit evolutionären Algorithmen und Bayessche Methoden mit symbolischem Denken. Hybridformen wie das Deep Reinforcement Learning sind bereits leistungsstärker als ihre getrennten Vorläufer. Die Vereinigung von Algorithmen aus verschiedenen theoretischen Lagern ist zwar konzeptionell eine Herausforderung, aber Domingos hält sie für den Schlüssel – und nicht die totale Konzentration auf ein Gebiet wie Deep Learning.

Benachbarte Disziplinen liefern neue Ideen. Computergestützte Neurowissenschaft bietet z. B. eine Reihe von Algorithmen aus dem menschlichen Gehirn als Inspiration für die Entwickler maschinellen Lernens. Wenn die Neurowissenschaft sich erst einmal ganz auf ihre Big-Data-Epoche einlässt, wird sie wohl ein noch stärkerer Katalysator für maschinelles Lernen werden.

c

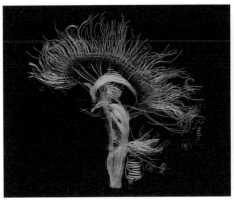

A

2013 rief die EU das Human Brain Project ins Leben, das die 85 Mrd. Neuronen, die im Gehirn miteinander verbunden sind, in einem Computer nachbilden will. Das Projekt, in das bereits 2 Mrd. US-Dollar investiert wurden, verknüpft Hirnkartierung, computergestützte Neurowissenschaft und maschinelles Lernen. Sein Hauptanliegen ist der Nachbau eines Gehirns und seiner neuronalen Netze in 3-D. Theoretisch sollte die Nachbildung zu einer digitalen Reproduktion des ursprünglichen Hirns mit Verstand und Gedächtnis führen. Dieses digitale Gehirn könnte dann in eine virtuelle Umgebung geladen werden, um mit der Welt zu interagieren, oder als Antrieb eines Roboters dienen.

Für eine **Whole Brain Emulation** müssen die Wissenschaftler nicht verstehen, *wie* Intelligenz funktioniert, um sie nachzubilden. Sie brauchen nur die Technologie zur **Hirnkartierung**, um das Gehirn detailliert nachzubauen. Es gibt jedoch derzeit kaum Beweise, dass die Reproduktion der Gehirnstruktur in einer digitalen Umgebung automatisch zu einer KI auf menschlichem Niveau führen wird. Da die Verbindungen im Hirn ständig in Bewegung sind, müssen Wissenschaftler auch wissen, wie sie sich in Reaktion auf die Umgebung ändern. Da menschenähnliche KI auf den Funktionen des menschlichen Gehirns basiert, könnte das auch die weitere Entwicklung einer Superintelligenz beschränken. Obwohl dies nicht unbedingt ein Nachteil sein muss, vor allem für diejenigen, die eine Zukunft mit »Killer-Robotern« fürchten, stellt es für künftige Generationen, die KI-Technologien weiterentwickeln wollen, vielleicht ein Problem dar.

Whole Brain Emulation ist der hypothetische Prozess der Rekonstruktion des mentalen Zustands eines bestimmten Gehirns in einem Computer. Da Informationen im Gehirn innerhalb der Verbindungen zwischen den Neuronen gespeichert werden, glauben manche Wissenschaftler, dass die digitale Nachbildung der Verbindungen eines Gehirns auch den Verstand rekonstruieren kann.

In der Neurowissenschaft dient die **Hirnkartierung** dazu, die Anatomie und die Verbindungen innerhalb des Nervensystems genau zu untersuchen. Das Gehirn wird häufig in dünne Schichten geschnitten und unter dem Mikroskop sichtbar gemacht, sodass Wissenschaftler neuronale Verbindungen näher betrachten können.

Neuronaler Code bezeichnet die Informationsverarbeitung in Neuronen, oft in Verbindung mit der Art, wie die elektrischen Signale von Neuronengruppen bestimmtes Verhalten und Gedanken auslösen.

A Das Human Connectome Project ist der erste Großversuch zur Entschlüsselung der funktionalen Verbindungen im Gehirn in allen Einzelheiten.

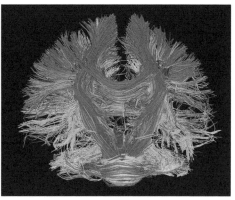

Anstatt das Gehirn nur zu kopieren, destillieren andere die Hauptalgorithmen des Gehirns für intelligente Maschinen heraus.

In diesem Fall liegt die Krux nicht in der Reproduktion der physischen Verbindungen im Gehirn, sondern in der Nachbildung ihrer Funktionsweise. Die US-Regierung finanzierte kürzlich das Projekt MICrONS mit 100 Mio. US-Dollar. Es ist Teil der BRAIN-Initiative des früheren US-Präsidenten Barack Obama, die innovative Technologien zur Förderung der Hirnforschung entwickeln soll. Erklärtes Ziel ist es, maschinelles Lernen mithilfe von biologischen Algorithmen in der Hirnrinde zu revolutionieren. Durch Erforschung der Sehrinde, des Hirnareals, das visuelle Reize verarbeitet, erhofft sich MICrONS, aus sensorischen Berechnungen »neuronale Codes« herauszufiltern, mit denen dann Maschinen gefüttert werden. Wissenschaftler könnten sich so bestehende Algorithmen im Gehirn zunutze machen, um intelligentere Maschinen zu entwickeln, die Bilder und Videos mit menschenähnlichen Fähigkeiten verarbeiten. Auch andere Bereiche, in denen sich derzeitige KI-Systeme schwertun (Hören und flexibles Denken), könnten erweitert werden.

A

Gemeinsam könnte die starke Mischung aus neuromorphen Chips, gehirninspirierter Software, neuen Algorithmen des maschinellen Lernens und weiteren Ideen letztendlich den jahrzehntelangen Traum einer allgemeinen KI wahr machen. Sobald menschenähnliche Intelligenz erreicht ist, könnten diese noch jungen KI-Systeme intelligentere Systeme entwickeln, indem sie Algorithmen und Ideen mit einer für menschliche Programmierer unerreichbaren Schnelligkeit entwickeln.

Sobald allgemeine KI erreicht ist, könnte uns zeitnah eine technologische Explosion bevorstehen, die superintelligente KI hervorbringt.

Superintelligenz mag eine erschreckende Vorstellung sein. Da diese Systeme theoretisch fähig sind, alles über diese Welt

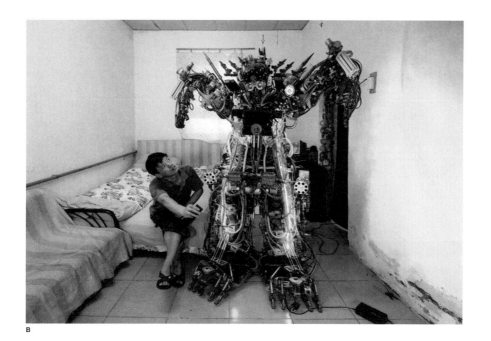

B

zu lernen, scheint es fast unvermeid-
lich, dass sie in eigenem Interesse entscheiden, die Menschheit zu eliminieren.
Auf dem AeroAstro Centenninal Sympo-
sium warnte Elon Musk 2014, die KI sei
die größte existenzielle Bedrohung der
Menschheit. Er forderte gesetzliche Auflagen, damit kein Unfug getrieben werde.

Es gibt auch andere Meinungen. Laut der Längsschnittstudie AI100
der Stanford University gibt es derzeit keinen Grund, die KI als unmittelbare Gefahr für die Menschheit zu fürchten. Margaret Martonosi,
Professorin für Informatik an der Princeton University, hält es für
falsch, in einer Technologie, die enorme gesellschaftliche Vorteile bietet, in erster Linie eine Bedrohung zu sehen. In einer 2014 veröffentlichten Umfrage über die Langzeitfolgen einer KI auf menschlichem
Niveau gaben rund 60 Prozent der KI-Experten an, dass die Folgen
entweder äußerst positiv oder überwiegend positiv wären. Obwohl
das Risiko superintelligenter Systeme als existenzielle Bedrohung
für die Menschheit viel Beachtung in der Presse findet, gilt diese
Folge einer entfesselten KI unter KI-Experten als kaum besorgnis-
erregend – größere Sorgen bereiten der Abbau von Arbeitsplätzen
und die zunehmenden gesellschaftlichen Verzerrungen.

A

Auch wenn KI leistungsstärker ist als jedes andere Werkzeug, über das der Mensch jemals verfügte, ist sie doch nur ein Werkzeug, das den Interessen seiner Erfinder, der Menschen, dienen soll. Wie andere Werkzeuge ist die Technologie an sich weder gut noch schlecht. Intelligenz ist keine Motivation: Menschen legen das Ziel fest, und ein Algorithmus hat keinen eigenen Willen, sofern niemand dies explizit programmiert. Selbst wenn wir die Programmierung maschinellen Lernens künftig KI-Systemen überlassen, sind es letztendlich wir, die das Ziel der KI bestimmen: die Menschheit voranzubringen. Eine KI, die kochen kann, mag mehrere Gerichte zusammenstellen können, vielleicht kann sie sogar mit ihrem Wissen neue Rezepte erfinden. Sie würde aber nicht plötzlich »beschließen«, ihren Besitzer zu ermorden oder das Haus in Brand zu setzen. Algorithmen lernen von Trainingsdaten, und solange kein bösartiger Programmierer Mord und Brandstiftung als mögliche Ziele aufnimmt, werden sie nie Teil des KI-Programms werden.

Eine allgemeine KI (oder sogar eine superintelligente KI) ist weder allwissend noch allmächtig. Wie alle intelligenten Lebewesen braucht sie zur Lösung verschiedener Probleme auch unterschiedliche Wissensrepertoires. Ein KI-Algorithmus, der nach Wechselwirkungen zwischen Genen sucht, die zu Krebs führen, muss keine Gesichter erkennen. Soll derselbe Algorithmus ein Dutzend Gesichter in einer Menschenmenge finden, muss er nichts über Geninteraktionen wissen. Allgemeine KI bedeutet nur, dass ein einzelner Algorithmus mehrere Dinge kann, aber nicht, dass er alles gleichzeitig kann.

A   Moley Robotics hat den ersten Küchenroboter der Welt mit voll funktionsfähigen Roboterarmen gebaut, der in die Küchenstruktur integriert ist. Das System wurde auf der Hannover Messe vorgestellt, und die Verbraucherversion wird eine Datenbank mit Rezepten enthalten.

B   Bild aus dem Science-Fiction-Meisterwerk *2001: Odyssee im Weltraum* (1968), in dem eine empfindungsfähige KI mitspielt. Der mörderische Supercomputer HAL 9000 entfachte Debatten über Ethik und Sicherheit der KI-Entwicklung, auch wenn er letztendlich abgeschaltet wurde.

B

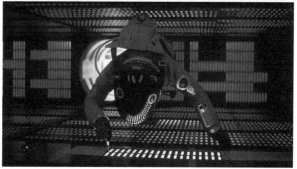

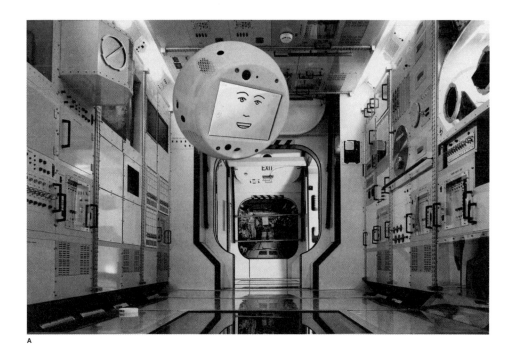

A

Das Szenario mit dem »Geist, der drei Wünsche erfüllt«, und der Person, die eine KI unbedarft um etwas bittet, was die Menschheit zerstört, ist eine weitere bekannte Sorge. Wie jedoch sowohl Domingos als auch der Kognitionspsychologe Steven Pinker (*1954) anmerken, ist dieses Argument absurd, da es davon ausgeht, dass Menschen einer KI freiwillig Motivation einprogrammieren und ihr somit die Kontrolle verleihen würden, ohne sich zuvor davon zu überzeugen, dass sie planmäßig funktioniert. Selbst wenn eine allgemeine KI außerordentlich viel Zeit für die Lösung schwieriger Probleme bräuchte – oder es ihr nicht gelänge, sie zu lösen –, könnte man die Lösungen stets vor dem Einsatz des Algorithmus effizient prüfen.

A CIMON (Crew Interactive MObile CompanioN), der von Airbus entwickelte Astronautenassistent, ist ein mobiler und autonomer Assistent zur Unterstützung der Astronauten auf der ISS. Er wurde als fliegender intelligenter Assistent entwickelt und kann bei Routineaufgaben über Gesichtsausdrücke mit den Astronauten interagieren.

B Im Juli 2018 brachte SpaceX CIMON zur ISS. Experimente sollten Einblicke in die Vor- und Nachteile einer KI in isolierten, stressbelasteten Umgebungen liefern. Der Astronaut Alexander Gerst aktivierte CIMON und führte mit ihm Aufgaben durch: CIMON folgte ihm ohne anzustoßen durch das Labor und zeigte Videos von Versuchen mit Kristallen und der Lösung des Zauberwürfels.

Solange Menschen nicht bewusst einen »Willen« in KI-Algorithmen programmieren, werden selbst superintelligente KI-Systeme *für* uns oder *mit* uns arbeiten.

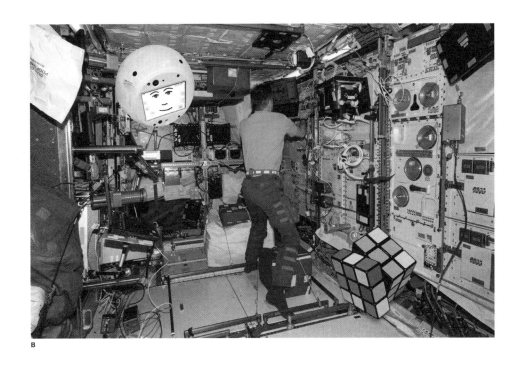

B

McKinsey sagte 2017 in einem Bericht über die Folgen von KI für den künftigen Arbeitsmarkt einen generellen Produktivitätsboom voraus, allerdings nur, wenn Menschen in enger Kooperation mit den Maschinen arbeiten. Heute suchen Unternehmen wie IBM und Microsoft nach Möglichkeiten, wie Menschen und KI effizient und harmonisch zusammenarbeiten können. Anstatt menschliche Intelligenz nachzubilden, sollten laut Microsoft KI-Unternehmen lieber die Lücken menschlicher Intelligenz füllen. Eine allgemeine KI, die als persönlicher Assistent fungiert, könnte uns z. B. helfen, weniger zu vergessen oder nicht so leicht abgelenkt zu werden. Die KI sollte nicht unsere Aufgaben übernehmen, sondern wir könnten ihr einfache geistige Aufgaben übertragen – so, wie wir unser Gedächtnis mit Notizen an das Smartphone auslagern. Wir sollten nicht danach streben, dass KI den Menschen ersetzt, sondern auf eine »KI + Mensch«-Zukunft bauen, in der Arbeiter und Technologie sich effektiver ergänzen.

Die »Multiplizität«, wie es der Robotiker Ken Goldberg an der University of California in Berkeley nennt, sieht künftig ein sehr enges Miteinander von Mensch und Maschine voraus. Wir leben eigentlich bereits mittendrin. Jedes Mal, wenn wir uns von Google Maps zu einem Ziel leiten lassen, arbeiten wir in gewisser Weise mit Algorithmen zusammen. Intelligente Software erleichtert Steuerberatern die Arbeit, und Übersetzer können ihre Produktivität seit der Einführung des verbesserten Google Translate (2016) deutlich steigern. Jeden Tag lässt sich die Zusammenarbeit zwischen Mensch und Maschine in den Amazon-Abwicklungszentren beobachten, in denen 100 000 Roboter autonom Produkte an menschliche Verpacker liefern. Hier ergänzen sich unermüdlich im Lager umherlaufende Roboter und die Feinmotorik menschlicher Hände.

Selbst kreative Tätigkeiten wie das Schreiben können heute in Rohform KI-Systeme übernehmen. ROSS, ein Programm zur Erstellung von juristischen Dokumenten, schreibt Memos für Rechtsanwälte zur weiteren Ausarbeitung. Das System spart etwa vier volle Arbeitstage, indem es Tausende von Seiten zu Präzedenzfällen durchsucht und den Menschen derweil erlaubt, ihre geistigen Kräfte für gründlichere Argumentationsketten und die Ausformulierung der Texte zu nutzen. Google finanzierte mit der **Digital News Initiative** ein automatisches System

Digital News Initiative ist Googles Versuch, Falschinformationen im Journalismus zu bekämpfen. Seit 2018 ist es Googles besonderes Ziel, neue Werkzeuge für Journalisten zur Erleichterung ihrer Arbeit zu entwickeln.

A   In Japan arbeiten humanoide Roboter neben Menschen an einem Montageband zur Herstellung von Wechselgeldautomaten. Japan investiert sehr stark in die Robotik, um den Arbeitskräftemangel zu bekämpfen und die stagnierende Wirtschaft zu beleben.

B   Mit Google Translate und der App Word Lens können Benutzer Text augenblicklich übersetzen lassen: Richten sie die Kamera des Smartphones auf einen Text, wird auf dem Display die Übersetzung gezeigt. 2016 verringerte die Einführung neuronaler maschineller Übersetzung die Fehler um 87 Prozent – ein erstes Beispiel für eine erfolgreiche kommerzielle Anwendung von Deep Learning.

A

B

zur Nachrichtenerstellung, RADAR, das auf der Suche nach Geschichten öffentliche Datenbanken abfragt. Das ersetzt zwar nicht die gründliche Berichterstattung, aber es füllt eine Lücke, weil es Lokalnachrichten in einem Ausmaß erstellt, das manuell unmöglich wäre.

Die wahre Geschichte der Automatisierung dreht sich also nicht um Verluste, sondern um Zugewinne. Wir leben im Zeitalter KI-erweiterter Produktivität. Je ausgereifter die intelligenten Maschinen, desto ausgereifter werden unsere Interaktionen, auch wenn wir es uns noch nicht vorstellen können. Es liegt an uns, festzulegen, welche Aufgaben die Maschine übernehmen und wo der Mensch sich einbringen kann.

Mit fortschreitender Automatisierung wird KI immer mehr Aufgaben übernehmen, und wir fürchten, dass sich dieser Wandel plötzlich vollzieht und uns unvorbereitet trifft. Aber wir treten bereits jetzt Tätigkeiten an KI ab und müssen dringend über die nächsten Schritte in einer KI-erweiterten Welt nachdenken – und sie vielleicht auch in Angriff nehmen.

Schlussfolgerungen

KI hatte viele Jahre lang mit leeren Versprechungen und großem Hype zu kämpfen. Das gilt heute nicht mehr.

KI-Systeme sind bei uns zu Hause angekommen. Sie haben in unser Leben Einzug gehalten und werden bleiben. Die Deep-Learning-Revolution des letzten Jahrzehnts führte in einem noch nie da gewesenen Tempo zur Akzeptanz der KI. Dank fortschrittlicher künstlicher neuronaler Netzwerktechniken wird die Gesellschaft derzeit Zeugin bemerkenswerter Entwicklungen in maschinellem Sehen und natürlicher Sprachverarbeitung, die uns Zugang zu neuen Technologien bieten, wie dem automatischen Face-Tagging von Facebook und sprachgesteuerten Assistenten. Die derzeit am besten ausgereiften Anwendungen von Deep Learning im Verbraucherumfeld sind digitale, personalisierte Empfehlungsgeber, die im Hintergrund laufen. Viele Menschen benutzen bereitwillig Googles Suchmaschine und die Empfehlungsfunktionen von Netflix und Amazon, ohne sich klarzumachen, dass dahinter eine KI steckt.

Obwohl nun also KI in die Öffentlichkeit getreten ist, ist ihre Verbreitung wohl noch immer nicht gänzlich in das öffentliche Bewusstsein gedrungen. Schuld sind teilweise auch die Geschichten, die um KI gesponnen werden. Das klassische Bild von »Killer-Robotern«, das sich in der Öffentlichkeit eingeprägt hat, zeichnet die KI absichtlich als existenzielle Bedrohung. Auch wenn letztendlich die Folgen der KI für unsere Gesellschaft noch unklar sind, erstickt diese alleinige Fixierung auf die Bedrohung durch KI jegliche konstruktive Diskussion über ihre Zukunft und ist daher in zweierlei Hinsicht gefährlich.

A

Erstens ist die Gesellschaft in einer kritischen Phase, in der sie festlegen muss, wie KI-basierte Technologien am besten zum Vorteil der Menschheit und zur Förderung von Freiheit, Gleichheit, Transparenz sowie Wohlstandsverteilung genutzt werden sollen. Die Überbetonung der existenziellen Bedrohung lenkt von dringlicheren Problemen ab, z. B. von der Frage, wie sich die Verzerrungen in den Systemen beseitigen lassen. Zweitens verstärkt das falsche Verständnis dessen, was KI kann und was nicht, womöglich die Ablehnung von Technologien, die gesellschaftlich sehr nützlich sind, und erstickt Innovationen.

A   Die Kampagne »Killer-Roboter stoppen!« ist ein weltweiter Zusammenschluss von Nichtregierungsorganisationen, die eine Zukunft mit vollautonomen Waffensystemen aus sicherheitstechnischen, rechtlichen, technischen, ethischen und moralischen Bedenken verhindern wollen. Autonome Waffensysteme verfügen weder über menschliches Urteilsvermögen, noch verstehen sie Zusammenhänge. Diese Waffen wären in der Lage, Ziele ohne menschliche Intervention auszuwählen und unter Beschuss zu nehmen. Die Entwicklung von »Killer-Robotern« ist eine fundamentale Bedrohung für den Schutz der Zivilbevölkerung, für die Einhaltung der Menschenrechte, für das Kriegsrecht sowie die Haftung im Ernstfall.

Anstatt das gestalterische Potenzial von KI für die Menschheit zu erkennen, legen wir ihrer und unserer Zukunft Fesseln an.

Der Erfolg von KI wird an dem Wert gemessen, den sie schafft. Wenn selbstfahrende Autos und andere KI-Anwendungen gesellschaftsfähig werden, wird die zunehmend wichtige Rolle von KI im Alltag stärker ins Zentrum des öffentlichen Bewusstseins rücken. Das nächste Jahrzehnt wird darüber entscheiden, wie die Rolle der KI in der Öffentlichkeit wahrgenommen und beurteilt wird.

Die Bereitwilligkeit, mit der KI-Anwendungen im Verkehrs- oder Gesundheitswesen angenommen werden, wird wohl über ihren Erfolg entscheiden. Hier kommt es vor allem auf Vertrauen an. Fehler der KI-Systeme werden streng (und vielleicht unfair) beurteilt. Unfälle selbstfahrender Autos ziehen mehr Aufmerksamkeit auf sich als von Menschen verursachte Unfälle, obwohl autonome Autos im Durchschnitt sicherer sind. Wir müssen daher das KI-Hirn besser kennenlernen und verstehen, um Vertrauen aufzubauen. Öffentliche Beteiligung an KI-Technologien könnte den Verbrauchern ein stärkeres Gefühl der Kontrolle geben.

A

B

Pendler könnten z. B. die Daten ihrer selbstfahrenden Autos teilen oder in Foren wertvolles Feedback zu Nutzbarkeit und Bedenken weitergeben.

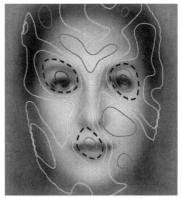

Vertrauen lässt sich nur aufbauen, wenn keine gesellschaftlichen Gruppen diskriminiert werden.

Da KI immer stärker in den Rechts-, Finanz- und Medizinbereich vordringt, müssen Probleme hinsichtlich Anwendung und Haftung diskutiert, wenn nicht sogar reguliert werden. Allein die Tatsache, dass mit Algorithmen für maschinelles Lernen anhand von früheren Mustern künftige Ergebnisse vorhergesagt werden, wirft heikle Fragen zu deren Einsatz bei der Einschätzung von Kredit- oder Rückfallrisiken auf. Die zweitgrößte Herausforderung liegt darin, absolut sicherzustellen, dass diskriminierende Faktoren wie Hautfarbe, Geschlecht, sexuelle Orientierung und sozioökonomischer Status auf keinen Fall Einfluss auf KI-basierte Entscheidungen haben. Hier sind die Regierungen gefragt, damit die Verantwortung nicht allein bei den Unternehmen liegt. Regelungen, die eine gerechte und umfassende Verteilung von KI auf alle Bevölkerungsgruppen fördern, können solche Risiken reduzieren. Betreffen KI-Anwendungen größere Teile der Bevölkerung, werden Unternehmen ihre Algorithmen so ändern müssen, dass sie sich an einer immer größeren Zahl von Menschen ausrichten.

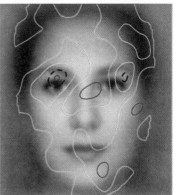

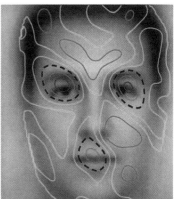

A Lingyun ist ein futuristisches, intelligentes zweirädriges E-Fahrzeug, das derzeit in Peking getestet wird. Das windschnittige Auto hält mit einem Gyroskop das Gleichgewicht. Es könnte Verkehrsinfarkten entgegenwirken.

B 2018 sorgte der Unfall eines Tesla Model S im Autopilot-Modus für Diskussionen um die Sicherheit autonomer Fahrzeuge. Da die Hände am Lenkrad sein müssen, ist jedoch dieser Modus nicht ganz autonom.

C Eine Studie der University of Montreal ergab, dass Farbschattierung und Lumineszenz von Augenbrauen und Mundpartie ausreichen, um auf Fotos schnell das Geschlecht einer Person zu erkennen.

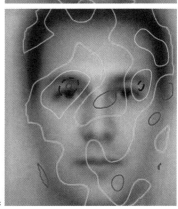

C

A

Die transformative Kraft von KI erfordert neue
Gesetze und Vorschriften, obwohl KI an sich schwer
zu definieren und zu regulieren ist. Wer dachte bei der
Einführung des Internets vor knapp 30 Jahren an die
negativen persönlichen und gesellschaftlichen Folgen
wie Bedrohung der Privatsphäre, Abhängigkeit von
sozialen Medien und Verbreitung von Fake News?
Ebenso wenig können wir heute alle möglichen positi-
ven und negativen Auswirkungen von KI vorhersagen.

Verfügen die politischen Institutionen über das Wissen und die Autorität,
um die KI-Entwicklung der Technologieriesen zu regulieren? Wenn KI-
Entwickler die Aufsichtsbehörden nicht über ihre Forschung aufklären, wie
können diese dann mögliche Bedrohungen für die Gesellschaft bewerten?
Weitreichende gesetzliche Mandate oder Regelungen, die KI-Unternehmen
verpflichten, Verantwortung für den Verbraucherschutz zu übernehmen,
sind vielleicht der beste Weg zur Regulierung. Regelungen, die den ethischen Einsatz von KI fördern und für Datenschutz, Sicherheit und Fairness
sorgen, sind notwendig. Gesetze zum Schutz geistigen Eigentums müssten
erweitert werden, damit Unternehmen neue KI-Anwendungen entwickeln.
Es muss Regelungen geben, die ein transparentes Umfeld, den technologischen Transfer zwischen Sektoren sowie den Kontakt zwischen den
KI-Unternehmen und der Öffentlichkeit und den Gesetzgebern fördern
und festigen. Mit der Weiterentwicklung von KI und ihrer Integration in die
Gesellschaft müssen Gesetze und Vorschriften neu bewertet werden. KI
könnte noch gewaltige Veränderungen der sozialen Werte und der politischen wie wirtschaftlichen Systeme erfordern, wenn sie uns nutzen soll.

In den nächsten 20 Jahren werden wir drastische Veränderungen im Verkehrswesen, in der Medizin, Bildung, Beschäftigung, Unterhaltung und in der öffentlichen Sicherheit erleben. Sobald KI-Algorithmen ihre Grenzen überwinden und sich zu einer allgemeinen Allzweck-KI entwickeln, wird ihr Einfluss die Gesellschaft grundlegend verändern.

Wird KI uns ersetzen? Das hängt zum Teil auch davon ab, wie wir damit umgehen.

Begegnen wir KI mit Angst und Misstrauen, wird ihre Erforschung vielleicht heimlich vorangetrieben. Dann wird wohl nicht mehr so sehr auf die Sicherheit und Verlässlichkeit der KI-Systeme geachtet.

B

#ImWithHer   #MakeAmericaGreatAgain

Wenn wir zulassen, dass sich KI unbe-
einflusst von Ethik oder Inklusion entwickelt, steuern wir möglicherweise auf
eine zunehmend engstirnige und unge-
rechte Welt zu. Sehen wir KI-Systeme
nur als Ersatz für unseren Arbeitsplatz
und nicht als Verbesserung unseres
Arbeits- und Privatlebens, so kann uns
eine existenzielle Krise bevorstehen.

Bleiben wir aber offen und erlauben KI-Systemen,
sich unter Aufsicht von Wissenschaftlern, politischen
Entscheidungsträgern, Sozialwissenschaftlern und
Nutzern zu entwickeln, erwartet uns vielleicht eine
völlig andere Zukunft. Offene Diskussionen über
Moral, Ethik und Datenschutz werden die Technologie vor Missbrauch schützen. Philosophischer Dis-
kurs über die gerechte Verteilung von KI-generiertem
Wohlstand und den Sinn eines erfüllenden Lebens
erleichtert uns den Übergang in eine Welt, in der die
meisten Tätigkeiten an KI-Systeme delegiert werden.

B

A/B 2017 führte Google Earth mit einem Update 3-D-Karten und Stadtführungen ein. Nun können Nutzer von zu Hause aus das Aquarium in Valencia (A), die Stadt Venedig (B) und andere Orte sehen.

Wenn KI-Forscher umsichtig handeln und die möglichen Gefahren einer superintelligenten KI bedenken – so abwegig sie auch sein mögen –, werden sie die Sicherheit der KI gründlich prüfen und verhindern, dass es zu solchen Gefährdungen kommt.

Die Zukunft von KI ist eng mit der Zukunft der Menschheit verknüpft. Ob Utopie oder Katastrophe: Es liegt an uns als moral-, vernunft- und willensbegabte Menschen, die KI in eine bessere Zukunft zu führen.

Wenn wir offen und intelligent mit KI umgehen, wird sie uns nicht ersetzen. Sie wird die Menschheit grundlegend zum Guten verändern.

Weiterführende Literatur

Agrawal, Ajay, Gans, Joshua und Goldfarb, Avi: *Prediction Machines: The Simple Economics of Artificial Intelligence* (Massachusetts: Harvard Business Review Press, 2018)

Barrat, James: *Our Final Invention: Artificial Intelligence and the End of the Human Era* (New York: Thomas Dunne, 2013)

Bostrom, Nick: *Superintelligenz: Szenarien einer kommenden Revolution* (Berlin: Suhrkamp, 2016)

Brynjolfsson, Erik und McAfee, Andrew: *Machine, Platform, Crowd: Wie wir das Beste aus unserer digitalen Zukunft machen* (Kulmbach: Plassen-Verlag, 2014)

Brynjolfsson, Erik und McAfee, Andrew: *The Second Machine Age: Wie die nächste digitale Revolution unser aller Leben verändern wird* (Kulmbach: Plassen-Verlag, 2018)

Carter, Rita: *Gehirn und Geist: Eine Entdeckungsreise ins Innere unserer Köpfe* (Heidelberg: Spektrum, Akad. Verl., 2011)

Christian, Brian: *The Most Human Human: What Artificial Intelligence Teaches Us About Being Alive* (New York: Anchor, 2012)

Christian, Brian und Griffiths, Tom: *Algorithmen für den Alltag: Die Wissenschaft der perfekten Entscheidung – vom Aufräumen bis zur Partnersuche* (München: riva Verlag, 2019)

Dayan, Peter und Abbott, Laurence F.: *Theoretical Neuroscience: Computational and Mathematical Modeling of Neural Systems* (Massachusetts: MIT Press, 2005)

Domingos, Pedro: *The Master Algorithm: How the Quest for the Ultimate Learning Machine Will Remake Our World* (New York: Basic Books, 2015)

Dyson, George: *Turings Kathedrale: Die Ursprünge des digitalen Zeitalters* (Berlin: Ullstein, 2016)

Ford, Martin: *Die Intelligenz der Maschinen: Mit den Koryphäen der Künstlichen Intelligenz im Gespräch: Innovationen, Chancen und Konsequenzen für die Zukunft der Gesellschaft* (Frechen: MITP-Verlag, 2019)

Ford, Martin: *Aufstieg der Roboter: Wie unsere Arbeitswelt gerade auf den Kopf gestellt wird – und wie wir darauf reagieren müssen* (Kulmbach: Plassen-Verlag, 2016)

Gazzaniga, Michael: *The Consciousness Instinct: Unraveling the Mystery of How the Brain Makes the Mind* (New York: Farrar, Straus and Giroux, 2018)

Gleick, James: *Die Information: Geschichte, Theorie, Flut* (München: Redline Verlag, 2011)

Goodfellow, Ian, Bengio, Yoshua und Courville, Aaron: *Deep Learning: Das umfassende Handbuch: Grundlagen, aktuelle Verfahren und Algorithmen, neue Forschungsansätze* (Frechen: MITP Verlag, 2018)

Hawkins, Jeff und Blakeslee, Sandra: *On Intelligence: How a New Understanding of the Brain Will Lead to the Creation of Truly Intelligent Machines* (London: St. Martin's Press, 2005)

Hofstadter, Douglas: *Gödel, Escher, Bach: Ein endloses geflochtenes Band* (Stuttgart: Klett-Cotta, 2016)

Jasanoff, Sheila: *The Ethics of Invention* (New York: WW Norton & Company, 2016)

Juma, Calestous: *Innovation and Its Enemies: Why People Resist New Technologies* (Oxford: OUP, 2016)

Kahneman, Daniel: *Schnelles Denken, langsames Denken* (München: Siedler Verlag, 2012)

Kaku, Michio: *Die Physik des Bewusstseins: Über die Zukunft des Geistes* (Reinbek: Rowohlt, 2014)

Kurzweil, Ray: *Das Geheimnis des menschlichen Denkens: Einblicke in das Reverse Engineering des Gehirns* (Berlin: Lola Books, 2014)

Lee Kai-Fu: *AI-Superpowers: China, Silicon Valley und die neue Weltordnung* (Frankfurt: Campus, 2019)

Levy, Steven: *Google inside: Wie Google denkt, arbeitet und unser Leben verändert* (Frechen: MITP Verlag, 2012)

Markoff, John: *Machines of Loving Grace: The Quest for Common Ground Between Humans and Robots* (New York: Ecco, 2015)

Markoff, John: *What the Dormouse Said: How the Sixties Counterculture Shaped the Personal Computer Industry* (New York: Penguin Books, 2006)

Minsky, Marvin: *The Emotion Machine: Commonsense Thinking, Artificial Intelligence, and the Future of the Human Mind* (New York: Simon & Schuster, 2006)

Nicolelis, Miguel: *Beyond Boundaries: The New Neuroscience of Connecting Brains with Machines— and How It Will Change Our Lives* (London: St Martin's Press, 2012)

Norvig, Peter und Russell, Stuart J.: *Künstliche Intelligenz: Ein moderner Ansatz* (München: Pearson, 2012)

O'Neil, Cathy: *Angriff der Algorithmen: Wie sie Wahlen manipulieren, Berufschancen zerstören und unsere Gesundheit gefährden* (München: Hanser Verlag, 2017)

Penrose, Roger: *The Emperor's New Mind: Concerning Computers, Minds and The Laws of Physics* (Oxford: OUP, 1989)

Pinker, Steven: *Wie das Denken im Kopf entsteht* (Frankfurt: Fischer-Taschenbuch-Verlag, 2011)

Rao, Rajesh P.N.: *Brain-Computer Interfacing: An Introduction* (Cambridge: CUP, 2013)

Rid, Thomas: *Maschinendämmerung: Eine kurze Geschichte der Kybernetik* (Berlin: Propyläen, 2016)

Ross, Alec: *The Industries of the Future* (New York: Simon & Schuster, 2017)

Schmidt, Eric und Rosenberg, Jonathan: *Wie Google tickt* (Frankfurt: Campus Verlag, 2015)

Segaran, Toby: *Kollektive Intelligenz analysieren, programmieren und nutzen* (O'Reilly, 2008)

Sejnowski, Terrence J.: *The Deep Learning Revolution* (Cambridge: MIT Press, 2018)

Seung, Sebastian: *Das Konnektom: Erklärt der Schaltplan des Gehirns unser Ich?* (Berlin; Heidelberg: Springer Spektrum, 2013)

Silver, Nate: *Die Berechnung der Zukunft: Warum die meisten Prognosen falsch sind und manche trotzdem zutreffen* (München: Heyne, 2013)

Stephens-Davidowitz, Seth: *Everybody Lies: Big Data, New Data, and What the Internet Can Tell Us About Who We Really Are* (New York: Dey Street Books, 2017)

Tegmark, Max: *Leben 3.0: Mensch sein im Zeitalter Künstlicher Intelligenz* (Berlin: Ullstein Taschenbuch Verlag, 2019)

Zarkadakis, George: *In Our Own Image: Savior or Destroyer? The History and Future of Artificial Intelligence* (New York: Pegasus Books, 2016)

Bildnachweis

Autoren und Herausgeber haben sich bemüht, die Urheberrechtsinhaber aller verwendeten Abbildungen ausfindig zu machen und hier zu nennen. Fehler oder unbeabsichtigte Auslassungen bitten sie zu entschuldigen. In künftigen Auflagen können diese korrigiert werden.

o = oben, u = unten, m = Mitte, l = links, r = rechts

2 Intel Corporation
4–5 Velodyne LIDAR
6–7 Kazuhiro Nogi/AFP/ Getty Images
8 Brett Jones
9 o Reuters/Stephen Lam
9 u Reuters/Elijah Nouvelage
10 Jim Watson/AFP/Getty Images
11 Gaurav Oberoi, goberoi.com
12 ZUMA Press, Inc./Alamy Stock Photo
13 Antoine Rosset/Science Photo Library
14 Isaac Lawrence/AFP/ Getty Images
15 l Stephan Zirwes/Getty Images
15 r Isannes/Getty Images
16–17 Science History Images/Alamy Stock Photo
18 U.S. Army. Photo Harold Breaux
19 Chuck Painter/Stanford News Service

20 Gottfried Wilhelms Baron von Leibnitz, Mathematischer Beweis Der Erschaffung und Ordnung Der Welt In einem Medallion, 1734. Eberhard Karls Universität Tübingen, Deutschland
21 The Royal Society, London
22 o SSPL/Getty Images
22 u Dan Winters
24–25 SSPL/Getty Images
26–27 Courtesy Victor Scheinman und the Stanford CSD Robotics Group
29 SRI International
30 Calspan Corporation, Buffalo, NY
32 H. Armstrong Roberts/ Getty Images
33 © Richard Kalvar/ Magnum Photos
34 TASS/Topfoto
35 Roger Ressmeyer/Corbis/ VCG/Getty Images
36–37 Google LLC
38–39 VCG/Getty Images
40–41 Courtesy Jon Rafman und Google LLC
42 Courtesy www.asimovinstitute.org/ neural-network-zoo/
43 Google LLC
44 Tomohiro Ohsumi/Bloomberg via Getty Images
45 Christopher Hefele
47 Netflix Inc.
48 Krister Soerboe/Bloomberg via Getty Images
49 o Chris Ratcliffe/Bloomberg via Getty Images
49 u Artem Smirnov
50 Quanergy Systems, Inc.

52 Deepmind Technologies
53 Emo Todorov
54 Atari, S.A.
55 Neural scene representation and rendering, by S. M. Ali Eslami & Danilo J. Rezende, 2018
56 Volvo Group
57 Tim Rue/Bloomberg via Getty Images
58 Insilico Medicine, insilico. com
59 Imagebreeder
61–61 BSIP/UIG via Getty Images
62 Mike McGregor/Contour by Getty Images
63 l PSYONIC
63 r Hanger Clinic Inc.
64–65 Reuters/Aly Song
66 Twice/JYP Entertainment Corporation
67 Twitter Inc.
68 VCG/Getty Images
69 o U.S. Marine Corps. Photo Sgt. Sarah Dietz
69 u U.S. Navy. Photo John F. Williams
70 Aditya Khosla, Akhil Raju, Antonio Torralba, Aude Oliva, Massachusetts Institute of Technology
71 Marco Túlio Ribeiro
72 Courtesy Christoph Molnar
73 © 2008 Hagmann et al
74 IBM. Photo Connie Zhou
75 The Felix Project, Johns Hopkins Kimmel Cancer Center
76 Ford Foundation Public Interest Technology Campaign, https://twitter. com/fordfoundation/status/10624541638067978 24?s=21

78 Twitter Inc./@ realDonaldTrump

79 The Rise of Social Bots, von Emilio Ferrara, Onur Varol, Clayton Davis, Filippo Menczer, Alessandro Flammini. Communications of the ACM, July 2016, Vol. 59 No. 7, Pages 96–104, 10.1145/2818717. Observatory on Social Media (OSoMe). Center for Complex Networks and Systems Research (CNetS) at Indiana University

80–81 Reuters/Thomas Peter

82 o Reuters/Kim Kyung-Hoon

82 u Andrea Pistolesi/Getty Images

83 Eye in the Sky: Real-time Drone Surveillance System (DSS) for Violent Individuals Identification using ScatterNet Hybrid Deep Learning Network, by Amarjot Singh, Devendra Patil and S. N. Omkar

84 Gianluca Mauro - AI Academy

85 Hans Lõugas

86 MIT Robot Locomotion Group

88 OpenAI

89 o Blizzard Entertainment Inc.

90 o Dr. Brenden Lake, Dr. Todd Gureckis & Anselm Rothe

91 Soul Machines Ltd/Laboratory for Animate Technologies, Auckland Bioengineering Institute, The University of Auckland, New Zealand

92–93 Mit freundl. Genehmigung des USC Laboratory of Neuro Imaging and Athinoula A. Martinos Center for Biomedical Imaging, Consortium of the Human Connectome Project - www. humanconnectomeproject. org

94 l Alessandro Di Ciommo/ NurPhoto via Getty Images

94 r Hitoshi Yamada/NurPhoto via Getty Images

95 l Kyodo News via Getty Images

95 r Anthony Kwan/Bloomberg via Getty Images

96 NYU School of Medicine, New York

97 o University of Waterloo, Ontario

97 u Joe Raedle/Getty Images

98 Reuters/Pichi Chuang

99 Reuters/Thomas White

100 Yoshio Tsunoda/AFLO/ Press Association Images

101 Magali Girardin/Epa/REX/ Shutterstock

102 AFP/Getty Images

103 Case IH, CNH Industrial N.V.

104 Kazuhiro Nogi/AFP/Getty Images

105 AF archive/Alamy Stock Photo

106–107 Intel Corporation

108–109 Dr. Dharmendra S. Modha

110 Retina Implant AG

111 John B. Carnett/Popular Science via Getty Images

112 U.S. Army Research Laboratory

113 Google LLC

114 o Rethink Robotics

114 u Pieter Abbeel Lab, UC Berkeley

116 l Dr Thomas Schultz

116 r, 117 l Mit freundl. Genehmigung des USC Laboratory of Neuro Imaging and Athinoula A. Martinos Center for Biomedical Imaging, Consortium of the Human Connectome Project - www. humanconnectomeproject. org

118 Alex Healing

119 Reuters/Kim Kyung-Hoon

120 Moley Robotics

121 o AF archive/Alamy Stock Photo

121 u Moviestore Collection Ltd/Alamy Stock Photo

122–123 © Airbus SAS 2019 – All rights reserved

124 Reuters/Issei Kato

125 Google LLC

126–127 scanrail/123rf.com

129 l Carl Court/AFP/Getty Images

129 r Mit freundl. Genehmigung von Stop Killer Robots

130 l Giulia Marchi/Bloomberg via Getty Images

130 r AP/REX/Shutterstock

131 Nicolas Dupuis-Roy/Université de Montréal

132 Hello Games

133 Clayton A. Davis, Indiana University Center for Complex Networks and Systems Research

134–135 Timothy A. Clary/AFP/ Getty Images

Cover: *vorn:* kodomoroid ist ein eingetragenes Warenzeichen von Advanced Telecommunications Research Institute International (ATR) und Dentsu, Inc; *hinten:* Sasin Tipchai / 123rf.com

Register

Verweise auf Abbildungen sind **fett** gedruckt.

Dank:
Meine Einblicke in die KI verdanke ich den
endlosen Gesprächen mit Andrej Karpathy,
ohne den dieses Buch nicht möglich gewesen
wäre. Ich danke ganz besonders dem Team
bei Thames & Hudson – Jane Laing, Tristan
de Lancey, Becky Gee und Phoebe Lindsley –
für ihre unentbehrliche Unterstützung, die mir
alles so einfach gemacht hat. Danke auch an
Nick für seine Geduld und liebevolle Unterstützung, wenn ich sie dringend brauchte.

Published by arrangement with Thames & Hudson Ltd,
London, WILL AI REPLACE US?
© 2019 Thames & Hudson Ltd, London
General Editor Matthew Taylor
Text by Shelly Fan
This edition first published in Germany in 2020 by
Dorling Kindersley Verlag GmbH, München

Für die deutsche Ausgabe:
Programmleitung Monika Schlitzer
Redaktionsleitung Dr. Kerstin Schlieker
Projektbetreuung Carola Wiese
Herstellungsleitung Dorothee Whittaker
Herstellungskoordination Ksenia Lebedeva
Herstellung Christine Rühmer

Übersetzung Martina Hesse-Hujber
Lektorat Birgit Reit

ISBN 978-3-8310-3880-0

Druck und Bindung DZS-Grafik, Slowenien

www.dorlingkindersley.de